suhrkamp taschenbuch 383

Hermann Hesse, am 2. 7. 1877 in Calw/Württemberg als Sohn eines baltendeutschen Missionars und einer württembergischen Missionarstochter geboren, 1946 ausgezeichnet mit dem Nobelpreis für Literatur, starb am 9. 8. 1962 in Montagnola bei Lugano.
Seine Bücher, Romane, Erzählungen, Betrachtungen, Gedichte, politischen und kulturkritischen Schriften sind mittlerweile in mehr als 50 Millionen Exemplaren in aller Welt verbreitet und haben ihn zum meistgelesenen europäischen Autor des 20. Jahrhunderts in den USA und in Japan gemacht.
Zu den amüsantesten, wenn auch unbekanntesten Büchern Hesses gehört sein *Kurgast*. Diese Aufzeichnungen von einer Kur in Baden sind »hinter einer halb scherzhaften Fassade mein persönlichstes und ernsthaftestes Buch«, schrieb Hesse im Oktober 1923, unmittelbar nach Beendigung der Niederschrift. Damals hatte sich der 46jährige wegen zunehmender Gicht- und Ischiasbeschwerden erstmals in den schweizerischen Kurort Baden begeben, wo aus einer Tiefe von mehr als 100 Metern mit einer Temperatur von 48 Grad jene chlornatriumhaltigen Schwefelquellen sprudeln, die schon Tacitus gerühmt hat. Ein halbes Jahr vor Thomas Manns *Zauberberg* erschienen erstmals diese Aufzeichnungen in S. Fischers *Neuer Rundschau* unter dem bezeichnenden Titel *Psychologia Balnearia*. Sie entstanden auf der Mitte seines Weges zwischen *Siddhartha* und *Steppenwolf* und gehören zu Hesses wichtigsten autobiographischen Schriften. In Erinnerung an die Lektüre des *Kurgast* schrieb Thomas Mann: »Unter der literarischen Generation, die mit mir angetreten, habe ich Hesse früh als den mir Nächsten und Liebsten erwählt und sein Wachstum mit einer Sympathie begleitet, die aus Verschiedenheiten so gut ihre Nahrung zog wie aus Ähnlichkeiten. Es gibt Dinge von ihm – wie den Badegast –, die ich lese und empfinde ›als wär's ein Stück von mir‹.«

Hermann Hesse
Kurgast

Aufzeichnungen von
einer Badener Kur

Suhrkamp

suhrkamp taschenbuch 383
Fünfte Auflage, 46.–60. Tausend 1980
Der Text folgt dem siebten Band
Hermann Hesse, »Gesammelte Werke«

Satz: IBV Lichtsatz KG, Berlin
Druck: Ebner Ulm · Printed in Germany
Umschlag nach Entwürfen
von Willy Fleckhaus und Rolf Staudt

Kurgast

Vorrede

Motto:
Müßiggang ist aller Psychologie Anfang.
Nietzsche

Man sagt von den Schwaben, daß sie erst mit vierzig Jahren gescheit werden, und die Schwaben selber, im Selbstvertrauen nicht stark, sehen das zuweilen als eine Art von Schande an. Es ist aber das Gegenteil, es ist eine große Ehre, denn die vom Sprichwort gemeinte Gescheitheit (sie ist nichts anderes als das, was junge Leute auch »Altersweisheit« nennen, das Wissen um die großen Antinomien, um das Geheimnis des Kreislaufs und der Bipolarität) dürfte auch unter den Schwaben, so begabt sie sind, sich recht selten schon bei Vierzigjährigen finden. Wenn man dagegen über die Mitte der Vierzig hinweg ist, man sei begabt oder nicht, dann stellt sich jene Weisheit oder Mentalität des Alterns ganz von selber ein, namentlich wenn noch das anhebende leibliche Altern mit allerlei Mahnungen und Beschwerden nachhilft. Zu den häufigsten dieser Beschwerden nun gehören Gicht, Rheumatismen und Ischias, und eben diese Leiden sind es, welche uns Badegäste hierher nach Baden führen. Das Milieu ist also jener Art von Mentalität, in welche auch ich jetzt eingetreten bin, überaus günstig, und man gerät, so scheint mir, hier ganz von selber, vom genius loci geleitet, in eine gewisse skeptische Frömmigkeit, einfältige Weisheit, in eine sehr differenzierte Vereinfachungskunst, einen sehr intelligenten Anti-Intellektualismus hinein, der ebenso wie die Wärme der Bäder und der Geruch des Schwefelwassers als ein Spezifikum mit zu Baden gehört. Oder, kürzer gesagt: Wir Kurgäste und Gichtiker sind ganz besonders darauf angewiesen, das eckige Leben so rund wie möglich zu nehmen, fünfe gerade sein zu lassen, uns keine großen Illusionen zu machen, aber dafür hundert kleine sanfte Illusionen zu schonen und zu pflegen. Wir Kurgäste in Baden haben, wenn ich nicht irre, jenes Wissen um die Antinomien besonders nötig, und je steifer unsre Gebeine werden, desto dringender bedürfen wir einer elastischen zweiseitigen bipolaren Denkart. Unsre Leiden sind Leiden, aber sie sind nicht von jener heroischen und dekorativen Art von Leiden, welche der Leidende ohne Einbuße an unsrer Achtung für weltwichtig nehmen darf.

Wenn ich so rede, wenn ich meine persönliche Alters- und Ischiatiker-Denkart zu einem Typus, zu einer allgemeinen Norm erhebe, wenn ich so tue, als spräche ich hier nicht einzig in meinem Namen, sondern im Namen einer ganzen Menschenklasse und Altersstufe, so ist mir dabei, wenigstens für Augenblicke, wohl bewußt, daß dies ein starker Irrtum ist und daß kein einziger Psychologe (er sei denn seelisch mein Bruder und Zwilling) mein geistiges Reagieren auf Umwelt und Schicksal als normal, als typisch anerkennen würde. Vielmehr würde er mich nach kurzem Beklopfen leicht als einen leidlich begabten, nicht internierungsbedürftigen Einzelgänger aus der Familie der Schizophrenen erkennen. Ich mache indessen ruhig vom Gewohnheitsrecht aller Menschen, auch der Psychologen, Gebrauch und projiziere nicht nur in die Menschen, sondern sogar in die Dinge und Einrichtungen meiner Umgebung, ja, in die ganze Welt meine Denkart, mein Temperament, meine Freuden und Leiden hinein. Meine Gedanken und Gefühle für »richtig«, für berechtigt zu halten, diesen Genuß lasse ich mir nicht rauben, obwohl die Umwelt mich stündlich vom Gegenteil zu überzeugen sucht, ja, ich mache mir nichts daraus, die Majorität gegen mich zu haben, ich gebe eher ihr unrecht als mir. Damit halte ich es wie mit meinem Urteil über die großen deutschen Dichter, welche ich darum nicht minder verehre, liebe und brauche, weil die große Mehrzahl der lebenden Deutschen das Gegenteil tut und die Raketen den Sternen vorzieht. Raketen sind hübsch, Raketen sind entzückend, sie sollen hochleben! Aber Sterne! aber ein Auge und Gedanke voll ihrer stillen Lichter, voll ihrer weit schwingenden Weltmusik – o Freunde, das ist doch noch anders!

Und indem ich später kleiner Dichter es unternehme, die Skizze eines Badeaufenthaltes zu entwerfen, denke ich an viele Dutzende von Badereisen und Baden-Fahrten, welche von guten und von schlechten Autoren geschrieben worden sind, und denke entzückt und verehrend an den Stern unter all den Raketen, an das Goldstück unter all dem Papiergeld, an den Paradiesvogel unter all den Sperlingen, an die Badereise des Doktors Katzenberger, lasse mich indessen durch diesen Gedanken nicht hindern, dem Stern meine Rakete, dem Paradiesvogel meinen Spatzen nachsteigen zu lassen. Fliege denn, mein Spatz! Steige, mein kleiner Papierdrache!

Kurgast

Kaum war mein Zug in Baden angekommen, kaum war ich mit einiger Beschwerde die Wagentreppe hinabgestiegen, da machte sich schon der Zauber Badens bemerkbar. Auf dem feuchten Zementboden des Perrons stehend und nach dem Hotelportier spähend, sah ich aus demselben Zug, mit dem ich angekommen war, drei oder vier Kollegen steigen, Ischiatiker, als solche deutlich gekennzeichnet durch das ängstliche Anziehen des Gesäßes, das unsichere Auftreten und das etwas hilflose und weinerliche Mienenspiel, das ihre vorsichtigen Bewegungen begleitete. Jeder von ihnen hatte zwar seine Spezialität, seine eigene Abart von Leiden, daher auch seine eigene Art von Gang, von Zögern, von Stakeln, von Hinken, und jeder auch sein eigenes, spezielles Mienenspiel, dennoch überwog das Gemeinsame, ich erkannte sie alle auf den ersten Blick als Ischiatiker, als Brüder, als Kollegen. Wer erst einmal die Spiele des nervus ischiadicus kennt, nicht aus dem Lehrbuch, sondern aus jener Erfahrung, welche von den Ärzten als »subjektive Sensation« bezeichnet wird, sieht hierin scharf. Alsbald blieb ich stehen und betrachtete mir diese Gezeichneten. Und siehe, alle drei oder vier schnitten bösere Gesichter als ich, stützten sich stärker auf ihre Stöcke, zogen ihre Schinken zuckender empor, setzten ihre Sohlen ängstlicher und unmutiger auf den Boden als ich, alle waren sie leidender, ärmer, kränker, beklagenswerter als ich, und dies tat mir äußerst wohl und blieb während meiner Badener Kurzeit ein tausendmal wiederkehrender, unerschöpflicher Trost: daß ringsum Leute hinkten, Leute krochen, Leute seufzten, Leute in Krankenstühlen fuhren, welche viel kränker waren als ich, viel weniger Grund zu guter Laune und zur Hoffnung hatten als ich! Da hatte ich denn gleich in der ersten Minute eins der großen Geheimnisse und Zaubermittel aller Kurorte gefunden und schlürfte meine Entdeckung mit wahrer Lust: die

Leidensgenossenschaft, das »socios habere malorum«.

Und als ich nun den Bahnsteig verließ und mich einer sanft gegen die Bäder talwärts fließenden Straße wohlig überließ, da bestätigte und steigerte jeder Schritt die wertvolle Erfahrung: überall schlichen die Kurgäste, saßen müde und etwas krummgezogen auf grüngestrichenen Ruhebänken, hinkten in Gruppen plaudernd vorüber. Eine Frau wurde im Fahrstuhl daher geschoben, müde lächelnd, eine halbwelke Blume in der kränklichen Hand, hinten strotzend und voll Energie die blühende Pflegerin. Ein alter Herr trat aus einem der Läden, in denen die Rheumatiker ihre Ansichtskarten, Aschenbecher und Briefbeschwerer kaufen (sie brauchen deren viele, und ich konnte die Ursache nie ergründen) – und dieser alte Herr, der aus dem Laden trat, brauchte zu jeder Treppenstufe eine Minute und blickte auf die vor ihm liegende Straße, wie ein ermüdeter und unsicher gewordner Mensch auf eine große, ihm gestellte Aufgabe blickt. Ein noch junger Mensch, mit einer graugrünen Militärmütze auf dem borstigen Kopf, arbeitete sich an zwei Stöcken kraftvoll, doch mühsam vorwärts. Ach, schon diese Stöcke, die man hier überall antraf, diese verflucht ernsthaften Krankenstöcke, welche in unten verbreiterte Gummizwingen ausliefen und sich wie Egel oder Saugwarzen an den Asphalt ansogen! Auch ich zwar ging an einem Stocke, einem zierlichen Malakka-Rohrstock, dessen Hilfe mir höchst willkommen war, allein zur Not konnte ich auch ohne Stock gehen, und niemand hatte mich jemals mit einem dieser traurigen Gummistöcke gesehen! Nein, es war klar und mußte jedem in die Augen fallen, wie rasch und schlank ich diese angenehme Straße hinabschlenderte, wie wenig und spielerisch ich den Malakkastock, ein reines Schmuckstück, ein bloßes Ornament, benützte, wie äußerst leicht und harmlos bei mir das Kennzeichen der Ischiatiker, das ängstliche Anziehen der Oberschenkel, ausgebildet, vielmehr nur angedeutet, nur flüchtig skizziert war, überhaupt wie straff und proper ich diesen Weg daherkam, wie jung und gesund ich war, verglichen mit all diesen älteren, ärmeren, kränkeren Brüdern und Schwestern, deren Gebrechen sich so deutlich, so unverhüllbar, so unerbittlich dem Blicke darboten! Ich sog Anerkennung, schlürfte Bejahung aus jedem Schritt, ich fühlte mich schon beinahe gesund, jedenfalls unendlich viel weniger krank als alle diese armen Menschen. Ja, wenn diese Halblahmen und Hinker noch Heilung erhofften, diese Leute mit den Gummistöcken, wenn Baden auch diesen noch helfen konnte, dann mußte ja mein kleines anfängerhaftes Leiden hier schwinden wie Schnee im Föhn, dann mußte der Arzt in mir ein Prachtexemplar, ein höchst dankbares Phänomen, ein kleines Wunder an Heilbarkeit entdekken.

Freundlich sah ich den anregenden Gestalten zu, voll Mitgefühl und Wohlwollen. Aus einer Konditorei kam jetzt eine alte Frau gequollen, die hatte es offenbar längst aufgegeben, ihr Gebrechen verheimlichen zu wollen, sie verkniff sich keine kleinste Reflexbewegung, sie nahm jede denkbare Erleichterung, jedes sich anbietende Spiel einer Hilfsmuskulatur voll in Anspruch, und so turnte, so balancierte und schwamm sie, breit sich durchkämpfend, wie eine Seelöwin über die Gasse, nur langsamer. Mein Herz hieß sie willkommen und jubelte ihr zu, ich pries die Seelöwin, ich pries Baden und mein gutes Geschick. Ich sah mich rings von Mitstrebenden, von Konkurrenten umgeben, welchen ich weit überlegen war. Wie gut, daß ich so rechtzeitig hierher gekommen war, noch im ersten Stadium einer leichten Ischias, noch mit den ersten schwachen Symptomen einer beginnenden Gicht! Mich umwendend, auf meinen Stock gestützt, sah ich lange der Seelöwin nach, mit jenem bekannten Wohlgefühl, welches uns zeigt, daß die Sprache für seelische Vorgänge noch keine Ausdrücke gefunden hat, denn sprachliche Gegensätze wie Schadenfreude und Mitleiden sind hier aufs innigste verbunden. Mein Gott, die arme Frau! So weit konnte es mit einem kommen.

Auch in diesem enthusiastischen Augenblick gesteigerten

Lebensgefühls, auch während dieser holden Euphorie der guten Stunde freilich schwieg jene lästige Stimme in mir nicht ganz, die wir so ungern hören und doch so nötig haben, jene Stimme der Vernunft, und sie machte mich, in ihrem unangenehm kühlen Ton, leise und bedauernd darauf aufmerksam, daß die Quelle meines Trostes lediglich ein Irrtum, eine falsche Methode sei, daß ich nämlich mich selbst, den am Malakkastock nur leicht hinkenden Literaten, dankerfüllt zwar mit jeder lahmen, jeder schwer hinkenden und entstellten Gestalt verglich, daß ich es aber versäumte, jene endlos fortlaufende Skala der Symptome in Betracht zu ziehen, welche sich jenseits meiner Person ausdehnte, daß ich alle jene Gestalten, welche jünger, aufrechter, rüstiger und gesunder waren als ich selber, gar nicht wahrnahm. Vielmehr, ich nahm sie wahr, aber ich weigerte mich, sie mit in die Vergleichung zu ziehen, ja, während des ersten und zweiten Tages war ich sogar ganz primitiv davon überzeugt, alle jene Menschen, welche ich ohne Stock und ohne merkbares Lahmen oder Hinken mit vergnügten Gesichtern dahinwandeln sah, seien keineswegs Brüder und Kollegen, seien keine Kurgäste und Konkurrenten, sondern normale, gesunde Einwohner der Stadt. Daß es auch Ischiatiker geben könne, welche ganz ohne Stock und ganz ohne krampfhafte Gebärden gehen konnten, daß es viele Gichtiker gebe, denen auf der Straße kein Mensch, auch kein Psychologe, ihr Leiden anzusehen vermöge, daß ich mit meinem leicht deformierten Gang und meinem Malakkastocke keineswegs auf der ersten, harmlosen, untersten Stufe der Stoffwechselleiden stehe, daß ich nicht bloß den Neid der richtigen Lahmen und Hinker genieße, sondern auch das spöttische Mitleid zahlreicher Kollegen, welchen ich als Trost und Seelöwe diente, kurz, daß ich mit meiner scharfäugigen Beobachtung und Vergleichung der Leidensgrade nicht objektive Forschung treibe, sondern lediglich optimistische Selbstbezauberung, diese Erkenntnis erreichte mich, auf dem üblichen langsamen Weg, erst nach mehreren Tagen.

Nun, ich genoß dies Glück des ersten Tages in vollen Zügen, ich beging Orgien der naiven Selbstbejahung, und ich tat wohl daran. Von den überall auftauchenden Figuren meiner Mitkurgäste, meiner kränkeren Brüder angezogen, vom Anblick jedes Krüppels geschmeichelt, von jedem mir begegnenden Rollstuhl zu frohem Mitleid, zu teilnahmsvoller Selbstzufriedenheit aufgefordert, flanierte ich die Straße hinab, diese so bequeme, so schmeichelhaft angelegte Straße, auf welcher die ankommenden Gäste vom Bahnhof zu den Bädern hinabgerollt werden und die in sanfter Schwingung, mit wohligem, gleichmäßigem Gefälle zu den alten Bädern hinableitet und sich dort unten, gleich einer Flußversickerung, in die Eingänge der Badehotels verliert. Guter Vorsätze und froher Hoffnungen voll näherte ich mich dem »Heiligenhof«, wo ich abzusteigen dachte. Drei, vier Wochen galt es nun hier auszuhalten, täglich zu baden, möglichst viel spazierenzugehen, sich Aufregungen und Sorgen möglichst fern zu halten. Es würde vielleicht zuweilen etwas eintönig sein, es würde nicht ohne Langeweile abgehen, weil hier das Gegenteil von intensivem Leben Vorschrift war, und für mich, den alten Solitär, dem alles Herden- und Hotelleben tief zuwider ist und äußerst schwerfällt, würde es einige Hindernisse zu nehmen, einige Überwindungen zu erkämpfen geben. Aber ohne Zweifel würde dies neue, mir völlig ungewohnte Leben, trotz seinem vielleicht etwas bürgerlichen, etwas faden Anstrich, auch heitere und interessante Erfahrungen bringen, – hatte ich es nicht wirklich in hohem Maße nötig, nach Jahren eines friedlich-verwilderten, ländlich-einsamen, in Studien versunkenen Lebens eine Weile wieder unter Menschen zu kommen? Und, die Hauptsache: jenseits der Hindernisse, jenseits dieser jetzt beginnenden Kurwochen lag der Tag, an dem ich diese selbe Straße rüstig bergan steigen, diese Hotels verlassen, an dem ich verjüngt und geheilt, mit elastisch spielenden Knien und Hüften, von diesem Baden wieder Abschied nehmen und die hübsche Straße zum Bahnhof hinantanzen würde.

Schade nur, daß es, eben im Augenblick, da ich den Heiligenhof betrat, leise zu regnen anfing.

»Sie bringen kein gutes Wetter mit«, sagte lächelnd das überaus freundliche Fräulein im Bureau bei der Begrüßung.

»Nein«, sagte ich ratlos. Wie war nun das? Sollte wirklich ich es sein, dachte ich, der diesen Regen gerufen, der ihn erschaffen und hierher mitgebracht hat? Daß die platte, alltägliche Anschauungsweise dagegen sprach, konnte mich, den Theologen und Mystiker, nicht entlasten. Ja, ebenso wie Schicksal und Gemüt Namen eines Begriffes waren, ebenso wie ich meinen Namen und Stand, mein Alter, mein Gesicht, meine Ischias in gewissem Sinne mir selbst erwählt und geschaffen hatte und niemand als mich dafür verantwortlich machen durfte, ebenso stand es wohl auch mit diesem Regen. Ich war bereit, ihn auf mich zu nehmen.

Nachdem ich dies dem Fräulein mitgeteilt und einen Anmeldezettel ausgefüllt hatte, trat ich nun in jene Verhandlungen wegen meines Zimmers ein, welche der normale Mensch nicht kennt, deren Grauen der naive Glückliche nicht ahnt, deren ganze Trübe nur dem in eine Fremdenherberge verschlagenen, an Einsamkeit und tiefe Stille gewöhnten, an Schlaflosigkeit leidenden Eremiten und Schriftsteller bekannt ist.

Ein Hotelzimmer zu nehmen, ist für normale Menschen eine Kleinigkeit, ein alltäglicher, in keiner Weise affektbetonter Akt, mit dem man in zwei Minuten fertig ist. Für unsereinen aber, für uns Neurotiker, Schlaflose und Psychopathen wird dieser banale Akt, mit Erinnerungen, Affekten und Phobien phantastisch überladen, zum Martyrium. Der freundliche Hotelier, die sympathische Empfangsdame, welche uns, auf unsre zaghaft inständige Bitte, ihr »ruhiges Zimmer« zeigen und empfehlen, ahnen den Sturm von Assoziationen, von Befürchtungen, von Ironien und Selbstironien nicht, den dies fatale Wort in uns erregt. O wie gut, o wie schauerlich genau, wie grauenhaft profund kennen wir diese ruhigen Zimmer, diese Stätten unsrer qualvollsten Leiden, unsrer schmerzlichsten Niederlagen, unsrer heimlichsten Schmach! Wie falsch und tückisch, wie dämonisch blicken uns diese freundlichen Möbel, diese wohlgemeinten Teppiche und heiteren Tapeten an! Wie fatal, wie vernichtend grinst jene verriegelte Verbindungstür zum Nachbarzimmer, die sich unseligerweise in den meisten dieser Zimmer befindet, häufig ihrer eigenen üblen Rolle bewußt und darum schamhaft hinter einem Tuchbehang verborgen! Wie schmerzlich und ergeben blicken wir zur weiß getünchten Zimmerdecke empor, welche stets im Augenblick der Besichtigung in schweigender Leere grinst, um dann abends und morgens von den Schritten der Obenwohnenden zu dröhnen – ach, und nicht nur von Schritten, das sind bekannte und also nicht die schlimmsten Feinde! Nein, über diesen harmlos weißen Plan rollen in der Stunde des Verhängnisses, ebenso wie durch die dünne Tür und Wand, ungeahnte Geräusche und Vibrationen, weggeworfene Stiefel, zu Boden fallende Spazierstöcke, mächtige rhythmische Erschütterungen (auf hygienische Turnübungen deutend), umgeworfene Stühle, ein vom Nachttisch stürzendes Buch oder Glas, das Rücken von Koffern und Möbelstücken. Dazu die Menschenstimmen, die Gespräche und Selbstgespräche, das Husten, das Lachen, das Schnarchen! Und weiter, schlimmer als dies alles, die unbekannten, unerklärlichen Geräusche, alle jene seltsamen, geisterhaften Laute, die wir nicht deuten, deren Herkunft und vermutliche Dauer wir nicht ahnen können, jene Klopf- und Wühlgeister, all jenes Knacken, Ticken, Flüstern, Blasen, Saugen, Rauschen, Seufzen, Knarren, Picken, Sieden – weiß Gott, welch reiches unsichtbares Orchester sich in den paar Quadratmetern eines Hotelzimmers verbergen kann!

Das Wählen eines Schlafzimmers ist also für unsereinen eine äußerst heikle, wichtige und dabei ziemlich hoffnungslose Unternehmung, an zwanzig Dinge, an hundert Möglichkeiten ist dabei zu denken. In einem Raume ist der Wandschrank, im andern die Heizröhre, im dritten der okarinablasende Nachbar die Quelle akustischer Überraschungen. Und da erfahrungsgemäß bei keinem einzigen Zimmer der Welt jene so innig ersehnte Ruhe und Schlafsicherheit feststellbar ist, da das anscheinend ruhigste Zimmer Überraschungen birgt (wohnte ich nicht schon, um ja keinen Störenfried über oder neben mir zu wissen, in einer einsamen Dienstbotenkammer im fünften Stock und fand über mir, statt des vermiedenen Zeitgenossen, den klappernden Dachboden von Ratten toll belebt?!) – sollte man da nicht am Ende auf jede Wahl verzichten, einfach kopfvoran ins Schicksal springen und den Zufall walten lassen? Statt sich zu quälen und abzusorgen und nach wenigen Stunden dennoch enttäuscht und traurig dem Unvermeidlichen gegenüberzustehen, ist es nicht klüger, das blinde Geschick walten zu lassen und wahllos das erste angebotene Zimmer zu nehmen? Gewiß, das ist klüger. Wir tun es aber nicht oder tun es nur selten einmal, denn wenn Klugheit und Vermeiden von Aufregungen allein unser Tun und Lassen leiten sollte, wie sähe da das Leben aus? Wissen wir nicht, daß unser Schicksal uns eingeboren und unentrinnbar ist, und hängen wir nicht dennoch alle innig und glühend an der Illusion der Wahl, der Willensfreiheit? Könnte nicht jeder von uns, wenn er den Arzt für seine Krankheit, wenn er Beruf und Wohnort, wenn er eine Geliebte und Braut wählt, dies alles ebenso gut und vielleicht mit besserm Erfolge dem reinen Zufall überlassen – und wählt er nicht dennoch, wendet er nicht dennoch eine Menge von Leidenschaft, von Mühe, von Sorge an all diese Dinge? Vielleicht tut er es naiv, in kindlicher Leidenschaftlichkeit, an seine Macht glaubend, von der Beeinflußbarkeit des Schicksals überzeugt; vielleicht auch tut er es skeptisch, tief überzeugt von der Wertlosigkeit seiner Bemühungen, aber ebensosehr davon überzeugt, daß Tun und Streben, Wählen und Sichquälen schöner, lebendiger, bekömmlicher oder mindestens amüsanter sei als Erstarren in resignierter Passivität. Nun also, ebenso handle ich närrischer Zimmersucher, wenn ich, trotz tiefem Überzeugtsein von der Vergeblichkeit und drolligen Sinnlosigkeit meines Tuns, eben dennoch jedesmal wieder lange Verhandlungen über das zu wählende Zimmer führe, mich nach Nachbarn, nach Türen und Doppeltüren, nach Drum und Dran gewissenhaft erkundige. Es ist ein Spiel, das ich treibe, ein Sport, wenn ich in dieser kleinen alltäglichen Frage immer wieder mich der Illusion, der fiktiven Spielregel überlasse, als seien Dinge dieser Art überhaupt einer vernunftgemäßen Behandlung zugänglich und würdig. Ich handle dabei ebenso klug oder ebenso töricht wie ein Kind beim Einkaufen von Naschwerk oder wie ein Spieler, der seinem Einsatz mathematische Tabellen zugrunde legt. In allen solchen Lagen wissen wir genau, daß wir dem reinen Zufall gegenüberstehen, und handeln, aus tiefem geistigem Bedürfnis, dennoch so, als könne und dürfe es keinen Zufall geben, als sei alles und jedes in der Welt unsrem vernünftigen Denken und Ordnen untertan.

Also ich spreche mit dem bereitwilligen Fräulein die fünf oder sechs leerstehenden Zimmer genau durch. Von dem einen erfahre ich, daß nebenan eine Violinspielerin wohnt und täglich zwei Stunden übt – nun, das ist immerhin etwas Positives, ich tendiere nun bei der engeren Wahl nach möglichst großer Entfernung von jenem Zimmer und Stockwerk. Für Verhältnisse und Möglichkeiten der Hotelakustik habe ich ohnehin eine Sensibilität, ein Ahnungsvermögen, das manchem Architekten sehr zu wünschen wäre. Kurz, ich tat das Notwendige, das Vernünftige, ich handelte sorgfältig und gewissenhaft, wie ein Nervöser beim Suchen eines Schlafzimmers handeln muß, mit dem üblichen Ergebnisse, das etwa so zu formulieren wäre: »Es nützt zwar nichts, und natürlich werde ich in diesem Zimmer dieselben Abenteuer und Enttäuschungen antreffen wie in jedem anderen, aber immerhin habe ich nun meine Pflicht getan, ich habe mir Mühe gegeben, den Rest lege ich in Gottes Hand.« Und gleichzeitig sprach, wie immer in solchen Fällen, eine andre, leisere Stimme zutiefst in mir innen: »Wäre es nicht besser, das Ganze Gott zu überlassen und auf dies Theaterspiel zu verzichten?« Ich hörte die Stimme, wie gewohnt, und hörte sie doch nicht, und weil ich zur Stunde so guter Laune war, verlief die Prozedur angenehm, zufrieden sah ich meinen Reisekorb in Nummer 65 verschwinden und ging weiter, denn es war die Stunde, zu der ich beim Doktor angemeldet war.

Und siehe, auch hier ging es gut. Nachträglich kann ich ja gestehen, daß mir vor diesem Besuch etwas bange war, nicht weil ich eine niederschmetternde Diagnose befürchtet hätte, sondern weil die Ärzte für mein Gefühl mit zur geistigen Hierarchie gehören, weil ich dem Arzt einen hohen Rang zubillige und weil ich bei ihm eine Enttäuschung schwer ertrage, die ich bei einem Eisenbahn- oder Bankbeamten, auch noch bei einem Advokaten leicht hinnehme. Ich erwarte, ich weiß selbst nicht genau warum, vom Arzt einen Rest jenes Humanismus, zu welchem die Kenntnis des Latein und des Griechischen und eine gewisse philosophische Vorschule gehören und der in den meisten Berufen des heutigen Lebens nicht mehr benötigt wird. In dieser Hinsicht bin ich, sonst voll Freude am Neuen und Revolutionären, überaus rückständig, ich verlange von den höher gebildeten Ständen einen gewissen Idealismus, eine gewisse Bereitschaft zu Verständnis und Auseinandersetzung, ganz unabhängig vom materiellen Vorteil, kurz ein Stück Humanismus, obwohl ich weiß, daß dieser Humanismus in Wirklichkeit nicht mehr existiert und daß auch seine Gebärde bald nur noch in Wachsfigurenkabinetten anzutreffen sein wird.

Nach kurzem Warten wurde ich hineingeführt, ein sehr schöner, geschmackvoll eingerichteter Raum gewann sogleich mein Vertrauen. Der Arzt, der erst noch in einem Nebenraume in der üblichen Weise mit Wasser geplätschert hatte, trat herein, ein intelligentes Gesicht versprach Verständnis, und wir begrüßten einander, wie es gesitteten Boxern ziemt, vor dem Wettkampf mit herzlichem Händedruck. Vorsichtig begannen wir den Kampf, tasteten einander ab, probierten zögernd die ersten Schläge. Noch waren wir auf neutralem Gebiet, unser Disput ging um Stoffwechsel, Ernährung, Alter, frühere Krankheiten und troff von Harmlosigkeit, nur bei einzelnen Worten kreuzten sich unsere Blicke, klar zum Gefecht. Der Arzt hatte einige Ausdrücke aus der medizinischen Geheimsprache auf seiner Palette, die ich nur annähernd entziffern konnte, die aber seinen Kundgebungen ornamental sehr zustatten kamen und seine Position mir gegenüber spürbar stärkten. Immerhin war mir schon nach einigen Minuten klar, daß bei diesem Arzte nicht jene grausame Enttäuschung zu fürchten war, welche Menschen von meiner Art gerade bei Ärzten peinlich ist: daß man hinter einer gewinnenden Fassade von Intelligenz und Schulung auf eine starre Dogmatik stößt, deren erster Satz postuliert, daß Anschauungsweise, Denkart und Terminologie des Patienten rein subjektive Phänomene, die des Arztes hingegen streng objektive Werte seien. Nein, hier hatte ich es mit einem Arzt zu tun, um dessen Verständnis zu kämpfen einen Sinn hatte, der nicht nur der Vorschrift gemäß intelligent, sondern bis zu einem zunächst noch nicht bestimmbaren Grade wissend war, also im Besitz eines lebendigen Gefühls für die Relativität aller geistigen Werte. Unter gebildeten und gescheiten Menschen passiert es ja in jedem Augenblick, daß jeder die Mentalität und Sprache, die Dogmatik und Mythologie des andern als eine subjektive, als bloßen Versuch, bloßes flüchtiges Gleichnis erkennt. Daß aber jeder diese selbe Erkenntnis auch an sich selber mache und auf sich selber anwende und jeder sich selbst sowohl wie dem Gegner das Recht auf seine von innen her bestimmte und notwendige Art, Denkweise und Sprache zugestehe, daß also zwei Menschen miteinander Gedanken austauschen und sich dabei beständig der Gebrechlichkeit ihrer Werkzeuge, der Vieldeutigkeit aller Worte, der Unmöglichkeit eines wahrhaft exakten Ausdrucks, also auch der Notwendigkeit eines intensiven Sichgebens, einer gegenseitigen herzlichen Bereitwilligkeit und intellektuellen Ritterlichkeit bewußt bleiben – diese hübsche, zwischen denkenden Wesen eigentlich selbstverständliche Situation kommt ja praktisch so kläglich selten vor, daß wir jede Annäherung an sie, jede auch nur teilweise Verwirklichung innig begrüßen. Hier nun, diesem Spezialisten für Stoffwechselerkrankungen gegenüber, blitzte etwas wie die Möglichkeit solchen Verständnisses und Austausches auf.

Die Untersuchung, Blutprobe und Röntgen vorbehalten, brachte tröstliche Ergebnisse. Herz normal, Atmung ausgezeichnet, Blutdruck sehr anständig, dagegen fanden sich die unverkennbaren Merkmale einer Ischias, einzelne gichtische Ansätze und ein etwas tadelnswerter Zustand der ganzen Muskulatur. Eine kleine Pause trat in unsrer Unterhaltung ein, während der Doktor sich wieder die Hände wusch.

Wie erwartet, trat in diesem Augenblick die Wende ein, das neutrale Gebiet wurde verlassen, mein Partner ging zur Offensive über, mit der vorsichtig akzentuierten, mit scheinbarer Nachlässigkeit hingelegten Frage: »Glauben Sie nicht, daß Ihre Leiden zum Teil auch psychisch mitbestimmt sein könnten?« Also da standen wir nun, das Erwartete, Vorausgewußte war eingetroffen. Der objektive Befund rechtfertigte nicht ganz den von mir gemachten Aufwand an Leiden, es war ein verdächtiges Plus an Sensibilität da, meine subjektive Reaktion auf die Gichtschmerzen entsprach nicht dem vorgesehenen Normalmaße, ich war als Neurotiker erkannt. Also wohlauf, in den Kampf!

Ebenfalls vorsichtig, ebenfalls wie beiläufig erklärte ich, daß ich nicht an »psychisch mitbestimmte« Leiden und Zustände glaube, daß in meiner persönlichen Biologie und Mythologie das »Psychische« nicht eine Art von Nebenfaktor neben der Physis sei, sondern die primäre Macht, daß ich also jeden Lebenszustand, jedes Gefühl von Lust und Leid, auch jede Krankheit, jeden Unglücksfall und Tod als psychogen, als aus der Seele geboren ansehe. Wenn ich an den Fingergelenken Gichtknoten ansetze, so ist es meine Seele, ist es das ehrwürdige Lebensprinzip, das Es in mir, das im plastischen Material sich zum Ausdruck bringt. Wenn die Seele leidet, so kann sie das sehr verschieden ausdrücken, und was sich bei dem einen als Harnsäure gestaltet und den Abbau seines Ichs vorbereitet, das kann bei einem andern als Trunksucht dieselben Dienste tun, bei einem dritten sich zu einem Stück Blei verdichten, das plötzlich in seine Hirnschale einbricht. Dabei gab ich zu, daß die Aufgabe und Möglichkeit des helfenden Arztes sich wohl in den meisten Fällen damit begnügen müsse, die materiellen, also sekundären Veränderungen aufzusuchen und sie mit ebenfalls materiellen Mitteln zu bekämpfen.

Auch jetzt noch rechnete ich durchaus mit der Möglichkeit, vom Doktor sitzen gelassen zu werden. Er würde zwar nicht geradezu sagen: »Sehr Geehrter, was Sie da reden, ist Blödsinn«, aber er würde vielleicht mit einem um einen Grad zu nachsichtigen Lächeln mir zustimmen, ein banales Wort über den Einfluß der Stimmungen, zumal auf eine Künstlerseele, sprechen und würde außer diesen Posthaltern vielleicht auch noch gar das fatale Wort »Imponderabilien« hervorholen. Dies Wort ist ein Probierstein, eine zarte Waage für geistige Maße, welche der Durchschnitts-Wissenschaftler schon »imponderabel« nennt. Er braucht nämlich dies bequeme Wort stets da, wo es sich um das Messen und Beschreiben von Lebensäußerungen handelt, für welche nicht nur die vorhandenen materiellen Meßapparate zu grob, sondern auch die Gewilltheit und Fähigkeit des Sprechenden zu klein ist. Der Naturwissenschaftler weiß ja meistens wenig, er weiß unter andrem nicht, daß es gerade für die flüchtigen, beweglichen Werte, die er imponderabel nennt, außerhalb der Naturwissenschaft alte, hochkultivierte Meß- und Ausdrucksmethoden gibt, daß sowohl Thomas von Aquin wie Mozart, jeder in seiner Sprache, gar nichts anderes getan haben, als sogenannte Imponderabilien mit einer unerhörten Präzision zu wägen. Konnte ich von einem Badearzt, sei er auch auf seinem Gebiete ein Phönix, dies zarte Wissen erwarten? Ich tat es aber doch, und siehe, ich wurde nicht enttäuscht. Ich wurde verstanden. Der Mann erkannte, daß ihm in mir nicht eine fremde Dogmatik entgegentrete, sondern ein Spiel, eine

Kunst, eine Musik, bei welcher es kein Rechthaben und Streiten mehr gebe, nur ein Mitschwingen oder Versagen. Und er versagte nicht, ich wurde verstanden und anerkannt, anerkannt nicht als Rechthabender natürlich, der ich ja nicht bin noch sein will, aber als Suchender, als Denkender, als Antipode, als Kollege von einer anderen, weit entlegenen, aber ebenfalls vollgültigen Fakultät.

Und jetzt stieg meine gute Laune, gehoben schon durch die für Blutdruck und Atmung erhaltene Zensur, bis in die höheren Grade. Mochte es nun mit dem Regenwetter, mit der Ischias, mit der Kur gehen wie es mochte, ich war nicht den Barbaren ausgeliefert, ich stand einem Menschen, einem Kollegen, einem Manne von elastischer und differenzierter Mentalität gegenüber! Nicht, daß ich darauf gerechnet hätte, häufig und lang mit ihm zu sprechen, Probleme mit ihm durchzusieben. Nein, dies war nicht nötig, wenn auch als angenehme Möglichkeit zu werten; es genügte, daß der Mann, dem ich für einige Zeit Gewalt über mich einräumte und Vertrauen schenken mußte, in meinen Augen das menschliche Reifezeugnis besaß. Mochte der Doktor mich heute noch für einen zwar geistig regsamen, doch leider etwas neurotischen Patienten ansehen, möglicherweise kam einmal die Stunde, wo er auch die oberen Stockwerke meines Gebäudes öffnen würde, wo mein eigentlicher Glaube, meine eigenste Philosophie mit der seinen in Spiel und Wettkampf treten würde. Auch meine Theorie des Neurotikers, fußend auf Nietzsche und Hamsun, würde dabei vielleicht einen Schritt weiterkommen. Aber einerlei, daran war nicht viel gelegen. Der neurotische Charakter nicht als Krankheit, sondern als ein zwar schmerzhafter, doch höchst positiver Sublimierungsprozeß gesehen – das war ein hübscher Gedanke. Es war jedoch wichtiger, ihn zu leben, als ihn zu formulieren.

Zufrieden und mit zahlreichen Kurvorschriften versehen, nahm ich vom Arzte Abschied. Der Zettel, den ich in der Brieftasche trug und dessen Befolgung morgen in aller Frühe beginnen sollte, verhieß mir mancherlei heilsame und amüsante Dinge: Bäder, Trinkkur, Diathermie, Quarzlampe, Heilgymnastik. Also mit der Langeweile kann es nicht allzu schlimm werden.

Daß auch der Abend meines ersten Kurtages schön und freundlich verlief und zu seiner Blüte kam, ist das Verdienst meines Wirtes. Das Abendessen, das sich zu meinem Staunen als ein Festmahl edlen Stils entfaltete, brachte solche gaumenschmeichelnde, mir seit Jahren nicht mehr bekannte Platten, wie Gnocchi mit Geflügelleber, Irish Stew, Erdbeereis. Und später saß ich, bei einer Flasche Rotwein, mit dem Hausherrn in lebhaften Gesprächen in einer schönen altertümlichen Stube an einem alten schweren Nußbaumtisch und hatte die Freude, in einem fremden Menschen von andrer Herkunft, andrem Beruf, andrem Ehrgeiz und andrem Lebensstil ein Echo zu finden, an seinen Sorgen und Freuden teilnehmen zu können, viele meine Anschauungen von ihm geteilt zu sehen. Wir sangen einander keine hohen Gesänge vor, aber wir fanden schnell Berührungsflächen und kamen einander mit der Offenheit entgegen, die leicht zur Sympathie wird.

Auf einem kurzen Nachtgang vor dem Schlafengehen sah ich Sterne in den Regenpfützen gespiegelt, sah im Nachtwind am Ufer des heftig rauschenden Flusses ein paar außerordentlich schöne alte Bäume. Sie würden auch morgen noch schön sein, aber in diesem Augenblick hatten sie die magische, nicht wiederkehrende Schönheit, die aus unsrer eigenen Seele kommt und die, nach den Griechen, nur dann in uns aufleuchtet, wenn Eros uns angeblickt hat.

Tageslauf

Wenn ich es unternehme, den üblichen Verlauf eines Kurtages zu beschreiben, so wähle ich dazu billigerweise einen durchschnittlichen Tag, einen Tag ohne extremen Charakter, so einen halb bewölkten, halb lauen Normaltag ohne besondere Ereignisse von außen und ohne besondere Vorzeichen und Bezauberungen von innen. Denn natürlich gibt es hier, und zwar nicht nur für nervöse Literaten, sondern für die ganze Schar der Ischiatiker, je nach Stand und Verlauf der Kur, Tage voll Beschwerden und Depression und leichte sanfte Tage des Wohlergehens und der aufblühenden Hoffnung, Tage, an denen wir hüpfen, und solche, an denen wir elend dahinschleichen oder hoffnungslos im Bett liegenbleiben.

Mag ich mir nun aber auch alle Mühe mit dem Konstruieren eines wohltemperierten Durchschnittstages, eines normalen bürgerlichen Plusminustages geben, ein für mich peinliches Geständnis bleibt mir dennoch nicht erspart, denn jeder Tag, und gar ein Kurtag, fängt leider mit einem Morgen an. Es hängt bei mir vermutlich mit meinem tiefsten Mangel und Laster, dem schlechten Schlafen, zusammen und entspricht auch sonst in jeder Hinsicht meinem Wesen, meiner Philosophie, meinem Temperament und Charakter, daß ich mit dem von so viel wunderschönen Gedichten gepriesenen Morgen gar nichts anzufangen weiß. Es ist eine Schande, und es fällt mir schwer, es zu gestehen, aber welchen Sinn hätte das Schreiben, wenn nicht der Wille zur Wahrheit dahinter stünde? Der Morgen, die berühmte Zeit der Frische, des Neubeginns, des jungen freudigen Antriebs, ist für mich fatal, ist mir verdrießlich und peinlich, wir lieben einander nicht. Dabei fehlt es mir nicht am Verständnis, am Einfühlungsvermögen für jene strahlende Morgenfreude, wie sie in manchen Gedichten von Eichendorff und von Mörike so erweckend und hell erklingt, ich empfinde in Gedichten, auf Gemälden und in der Erinnerung den Morgen ebenso poetisch, und aus der Kindheit her ist mir etwas wie halbverwischte Erinnerung an echte Morgenlust geblieben, obwohl ich seit sehr vielen Jahren gewiß an keinem einzigen Morgen wahrhaft froh gewesen bin. Und auch in das klingendste Bekenntnis zu frischer Morgenlust, das ich kenne, in den von Wolf komponierten Eichendorff-Vers »Der Morgen, der ist meine Freude«, höre ich einen fernen Mißton klingen, denn so wunderbar es klingt, und so sehr Eichendorffs Morgenstimmung mich überzeugt, ich kann an Hugo Wolfs Morgenfreude doch nicht recht glauben und finde, er habe sich da eine wehmütig poetische, sehnsüchtige, nicht erlebte Morgenverherrlichung gestattet. Alles, was mein Leben schwer und heikel und zu einem gefährlichen, ja häßlichen Problem macht, spricht am Morgen überlaut, steht übergroß vor mir. Alles, was mein Leben süß und schön und außerordentlich macht, alle Gnade, aller Zauber, alle Musik, ist am Morgen fern und kaum sichtbar, klingt kaum noch wie Sage und Legende herüber. Aus dem allzu seichten Grabe meines schlechten, kurzen, oft unterbrochenen Schlafes erhebe ich mich am Morgen, nicht beflügelt mit Auferstehungsgefühlen, sondern schwer, müde und zaghaft, ohne jeden Schutz und Panzer gegen die einstürmende Umwelt, die meinen empfindlichen Morgennerven all ihre Schwingungen wie durch einen heftigen Vergrößerungsapparat mitteilt, mir ihre Töne durch ein Megaphon zuheult. Erst von Mittag an wird das Leben wieder erträglich und gut, und an glücklichen Tagen wird es am Spätnachmittag und Abend wunderbar, strahlend, schwebend, innig durchglüht von zartem Gotteslicht, voll Gesetz und Harmonie, voll Zauber und Musik, und entschädigt mich golden für die tausend und tausend bösen Stunden.

An andrem Orte denke ich gelegentlich zu sagen, warum das Leiden an Schlafmangel und an diesem Morgenweh mir nicht bloß als Krankheit, sondern auch als Laster erscheint, warum ich mich seiner schäme und dennoch empfinde, daß es so sein muß, daß ich diese Dinge weder wegleugnen noch vergessen noch von außen her »heilen« darf, sondern ihrer als des Antriebes und immer erneuerten Stachels für mein eigentliches Leben und seine Aufgabe bedarf.

Dies Eine nun hat der Badener Kurtag für mich vor den Tagen des gewohnten Lebens voraus: während der Kur beginnt jeder Tag mit einer wichtigen, zentralen Morgenpflicht und Aufgabe, und diese Aufgabe ist leicht, ja angenehm zu erfüllen. Ich meine das Bad. Wenn ich morgens erwache, einerlei um welche Stunde es sei, so steht als erste und wichtigste Aufgabe vor mir nicht etwas Lästiges, nicht Ankleiden oder Turnen oder Rasieren oder Postlesen, sondern das Bad, eine sanfte, warme, reibungslose Angelegenheit. Mit einem leichten Schwindelgefühl richte ich mich im Bett auf, setze durch einige vorsichtige Übungen die eingerosteten Beine wieder in Betrieb, stehe auf, werfe den Schlafrock über und schreite langsam durch den halbdunkeln, schweigenden Korridor zum Lift, der mich durch alle Stockwerke bis in den Keller zu den Badezellen führt. Hier unten ist es sehr schön. In den steinernen, sehr alten, sanft hallenden Gewölben herrscht beständig eine wunderbare weiche Wärme, denn überall rinnt das heiße Wasser der Quellen, ein heimliches, wärmendes Höhlengefühl überkommt mich hier jedesmal, wie ich es als kleiner Knabe hatte, wenn ich mir aus einem Tisch, zwei Stühlen und einigen Bettvorlagen oder Teppichen eine Höhle errichtet hatte. In meiner reservierten Badezelle erwartet mich das tiefe, in den Boden versenkte, gemauerte Bassin voll heißen, eben aus den Quellen geronnenen Wassers, ich steige langsam hinein, auf zwei kleinen Steinstufen, drehe die Sanduhr um und tauche bis zum Kinn in das heiße strenge Wasser, das ein wenig nach Schwefel riecht. Hoch über mir, am Tonnengewölbe meiner massiv gemauerten Zelle, die mich sehr an eine Klosterzelle erinnert, fließt Tageslicht dünn durch ein Fenster mit matten Scheiben; dort oben, ein Stockwerk höher als ich, hinter dem Milchglas, liegt die Welt, fern, milchig, kein Ton von ihr erreicht mich. Und um mich her spielt die wunderbare Wärme des geheimnisvollen Wassers, das da seit tausend Jahren aus unbekannten Küchen der Erde rinnt und beständig in schwachem Strahl in mein Bad nachströmt. Nach der Vorschrift soll ich im Wasser meine Glieder möglichst viel bewegen, Turn- und Schwimmbewegungen ausführen. Pflichtgemäß tue ich dies auch, einige Minuten lang, dann aber bleibe ich regungslos liegen, schließe die Augen, schlummere halb, sehe dem stillen steten Rieseln der Sanduhr zu.

Ein welkes Blatt, durchs Fenster hereingeweht, ein kleines Blatt von einem Baum, dessen Name mir nicht einfällt, liegt am Rande meines Bassins, das sehe ich an, lese die Schrift seiner Rippen und Adern, atme die so merkwürdige Mahnung der Vergänglichkeit, vor der wir schauern und ohne welche doch nichts Schönes wäre. Wunderbar, wie Schönheit und Tod, Lust und Vergänglichkeit einander fordern und bedingen! Deutlich fühle ich, wie etwas Sinnliches, um mich her und in mir innen die Grenze zwischen Natur und Geist. So wie Blumen vergänglich und schön sind, Gold aber beständig und langweilig, so sind alle Bewegungen des natürlichen Lebens vergänglich und schön, unvergänglich aber und langweilig ist der Geist. Zu dieser Stunde lehne ich ihn ab, sehe den Geist keineswegs als ewiges Leben, sondern als ewigen Tod, als das Erstarrte, Unfruchtbare, Gestaltlose, das nur Gestalt und Leben werden kann unter Preisgabe seiner Unsterblichkeit. Das Gold muß Blume, der Geist muß Leib und muß Seele werden, um leben zu können. Nein, in dieser lauen Morgenstunde, zwischen Sanduhr und welkem Blatt, will ich nichts vom Geiste wissen, den ich zu andern Zeiten sehr verehren kann, ich will vergänglich, will Kind und Blume sein.

Und daß ich vergänglich bin, daran erinnert mich, nach einer halben Stunde Liegens in der warmen Flut, der Augenblick des Aufstehens. Ich klingle dem Wärter, er erscheint und legt mir ein durchwärmtes Badetuch bereit. Und jetzt erhebe ich mich im Wasser, und da fließt das Gefühl der Vergänglichkeit mir schwächend durch alle Glieder, denn diese Bäder ermüden sehr, und wenn ich mich nach einem Bad von dreißig oder vierzig Minuten erheben will, so gehorchen Knie und Arme nur langsam und mühsam. Aus dem Behältnis gekrochen, schlage ich das Tuch mir um die Schultern, will micht tüchtig abreiben, will ein paar energische Bewegungen machen, um mich zu ermuntern, kann es aber nicht, sondern sinke auf dem Stuhl zusammen, fühle mich zweihundert Jahre alt und brauche lange, bis ich mich dazu bringen kann, aufzustehen, Hemd und Schlafrock wieder anzuziehen und zu gehen.

Ich gehe langsam, mit weichen Knien, durch die stillen Gewölbe, hinter deren Zellentüren da und dort das Wasser rauscht, zur Schwefelquelle hinüber, welche unter Glas zwischen gelblich beschlagenem Gestein sprudelt und kocht. Eine rätselhafte Geschichte ist von dieser Quelle zu berichten. Auf dem Rande ihrer steinernen Fassung stehen, zur Benutzung für die Gäste, stets zwei Wassergläser, vielmehr, das ist eben die Geschichte, sie stehen nicht da, sondern jeder Gast, wenn er dürstend zur Quelle kommt, muß die Erfahrung machen, daß die beiden Gläser schon wieder verschwunden sind. Man schüttelt alsdann den Kopf, soweit eben ein Kurgast nach dem Bade eine solche Bewegung auszuführen vermag, man ruft nach Bedienung, und es erscheint bald der Hausdiener, bald der Kellner, bald ein Zimmermädchen oder eine Badewärterin, bald der Liftboy, und sie alle schütteln ebenfalls den Kopf und begreifen nicht, wohin nun schon wieder diese unheimlichen Gläser gekommen sind. Eiligst wird jedesmal ein neues Glas gebracht, der Gast füllt es, trinkt es aus, stellt es auf den Stein und geht – und wenn er in zwei Stunden wiederkommt, um nochmals einen Schluck zu nehmen, ist wieder kein Glas da. Von den Angestellten, welchen diese rätselhafte Glasgeschichte verdrießlich ist und Mehrarbeit macht, stellt jeder seine eigene Erklärung für das Schwinden der Gläser auf, welche jedoch alle nicht überzeugend wirken. Der Boy zum Beispiel meinte naiv, die Gläser würden eben häufig von den Gästen mit in ihre Zimmer genommen. Als ob sie da nicht täglich von den Zimmermädchen wiedergefunden werden würden! Kurz, die Sache ist unaufgeklärt, und nur mir allein ist es schon acht- oder zehnmal passiert, daß man mir ein neues Glas holen mußte. Da unser Hotel etwa achtzig Gäste hat und da diese Kurgäste, seriöse ältere Leute mit Gicht und Rheumatismen, vermutlich keine Gläser stehlen, so nehme ich an, daß es entweder ein pathologischer Sammler oder aber ein nicht menschliches Wesen, ein Quelldämon oder Drache ist, welcher die Gläser wegnimmt, vielleicht um die Menschen für die Ausbeutung der Quelle zu strafen, und vielleicht findet einst ein im Kellergewölbe irrgelaufenes Sonntagskind den Eingang zu einem verborgenen Schachte, wo ganze Gebirge von Trinkgläsern angehäuft stehen, denn nach meinen vorsichtigen Berechnungen müssen in einem einzigen Jahre mindestens zweitausend Gläser sich dort ansammeln.

An dieser Quelle nun fülle ich mir ein Glas und trinke das warme dickliche Wasser mit Vergnügen. Meist sitze ich dabei schon wieder und kann dann nur schwer den Entschluß zum Wiederaufstehen finden. Ich schleppe mich zum Lift, angenehme Vorstellungen von erfüllter Pflicht und verdienter Rast im Hirn, denn mit dem Baden und Trinken habe ich tatsächlich die wichtigsten Vorschriften des Tages erfüllt. Dagegen ist es noch früh am Tage, höchstens sieben oder halb acht Uhr, manche Stunden sind noch bis Mittag, und ich gäbe alles dafür, wenn ich einen Zauber wüßte, Morgenstunden in Abendstunden zu verwandeln.

Für den Augenblick allerdings kommt mir wieder die Kurvorschrift zu Hilfe, die mich nach dem Bade nochmals ins Bett befiehlt. Meiner dösigen Bademüdigkeit entspricht dies sehr, aber um diese Tageszeit hat das Leben im Hotel längst begonnen, die Dielen krachen unter den hastigen Tritten der Zimmermädchen und Frühstücksträgerinnen, und die Türen fliegen. Da ist an Schlaf, außer für Minuten, nicht mehr zu denken, denn jene Antiphone sind noch nicht erfunden, die das überwache, raffinierte Ohr des Schlaflosen wirklich schützen.

Nichtsdestoweniger ist es angenehm, sich nochmals hinzulegen, die Augen nochmals zuzutun, noch nicht an all die dummen Verrichtungen zu denken, die der Morgen von uns verlangt: das dumme Anziehen, das dumme Rasieren, das dumme Krawattenflechten, das Gutentagsagen, das Lesen der Post, das Sichentschießen zu irgendeiner Tätigkeit, das Wiederaufnehmen der ganzen Lebensmechanik.

Indessen liege ich im Bett, höre die Zimmernachbarn lachen, schimpfen, gurgeln, höre die Korridorklingel rasseln und das Personal laufen und sehe bald, daß es keinen Zweck hat, das Unvermeidliche länger hinauszuschieben. Wohlan denn, friß, Vogel! Ich stehe auf, ich wasche mich, ich rasiere mich, ich führe alle jene komplizierten Evolutionen aus, welche erforderlich sind, um in die Kleider und Schuhe hineinzukommen, ich würge mich in den Hemdkragen, stopfe die Uhr in die Westentasche, schmücke mich mit der Brille, alles mit dem Gefühl des Sträflings, der die Ordnung dieser vorgeschriebenen Verrichtungen seit Jahrzehnten kennt und weiß, dies dauert lebenslänglich, es nimmt niemals ein Ende.

Um neun Uhr erscheine ich, ein bleicher, lautloser Gast, im Speisesaal, setze mich an meinen kleinen runden Tisch, begrüße stumm das hübsche, fröhliche Mädchen, das mir Kaffee bringt, streiche eine Semmel mit Butter, stecke eine andre in die Tasche, schneide die daliegenden Briefumschläge auf, stopfe das Frühstück in meinen Schlund, die Briefe in meine Rocktasche, sehe im Korridor einen gelangweilten Kurgast herumstehen, der sich mit mir zu unterhalten wünscht und schon von weitem einladend lächelt, auch schon zu reden beginnt, dazu noch französisch, renne ihn kurz entschlossen über den Haufen, murmele »Pardon« und stürze auf die Straße hinaus.

Hier und im Kurgarten oder im Walde gelingt es mir nun, in der wünschenswerten Isoliertheit den Morgen vollends herumzubringen. Zuweilen glückt es mir, zu arbeiten, das heißt auf einer Bank im Park, den Rücken gegen die Sonne und gegen die Menschen, einiges von den Gedanken aufzuschreiben, die ich noch von den Nachtstunden her in mir vorfinde. Meistens laufe ich spazieren und bin dann froh über die halbe

Semmel in meiner Tasche, denn es ist eine meiner besten Morgenfreuden (der Ausdruck ist allerdings zu heftig), dies Brot zu verkrümeln und an die vielen Finken und Meisen zu verfüttern. Ich denke dabei grundsätzlich nicht daran, daß in Deutschland, ein paar Meilen von hier, auch auf der reichen Leute Tisch kein solches Weißbrot liegt und Tausende überhaupt kein Brot haben. Ich verwehre diesem Gedanken, der so nahe steht, den Zutritt zu meinem Bewußtsein und finde dies Verwehren oft recht anstrengend.

In Sonne oder Regen, arbeitend oder spazierend, irgendwie und irgendwo habe ich schließlich den Vormittag abgewickelt, und es kommt die hohe Stunde des Kurtages, das Mittagessen. Ich kann versichern, daß ich kein Fresser bin, aber auch für mich, der die Freuden des Geistes und der Askese kennt, ist diese Stunde feierlich und wichtig. Aber dieser Punkt fordert eine eingehendere Betrachtung.

Es gehört, wie ich schon in der Vorrede angedeutet habe, zur Gemütsart und Denkweise des nicht mehr jungen Rheumatikers und Gichtbrüchigen, daß er die Unmöglichkeit eingesehen hat, die Welt geradlinig zu verstehen, daß er Sinn und Achtung hat für die Antinomien, für die Notwendigkeit der Gegensätze und Widersprüche. Manche von diesen Widersprüchen nun bringt, ohne an ihre tiefe philosophische Grundlegung zu rühren, das Badener Kurleben mit bewundernswerter Drastik zum Ausdruck. Viele solcher Gleichnisse könnte man hier entdecken, ich erinnere nur, um etwas recht Banales zu wählen, zum Beispiel an die vielen Ruhebänke, welche überall in Baden aufgestellt sind: sie laden alle die rasch ermüdenden, ihrer Beine nicht recht sicheren Kurgäste zum Absitzen und Ausruhen ein, und allzu gerne folgt der Gast dem freundlichen Wink. Kaum sitzt er aber eine Minute, so ringt er sich entsetzt wieder in die Höhe, denn der menschenfreundliche Errichter all dieser vielen Sitzbänke, ein tiefer Philosoph und Ironiker, hat ihre Sitzflächen aus Eisen konstruiert, und der darauf niedersitzende Ischiatiker sieht sich an der empfindlichsten Stelle seines kranken Leibes einem vernichtenden Kältestrom ausgesetzt, welchen alsbald wieder zu fliehen der Instinkt ihn treibt. So erinnert ihn die Bank daran, wie ruhebedürftig er ist, und mahnt ihn eine Minute später ebenso deutlich daran, daß des Lebens Kern und Quelle die Bewegung sei und daß einrostende Gelenke nicht so sehr der Ruhe als des Trainings bedürfen.

Viele solcher Beispiele ließen sich finden. Monumentaler aber als in allen andern kommt der Badener Geist, der sich stets in Antithesen bewegt, zur Mittags- und Abendstunde im Speisesaal zum Ausdruck. Da sitzen also Dutzende von kranken Menschen, von denen jeder seine Gicht oder Ischias mitgebracht hat, von denen jeder einzig darum nach Baden gekommen ist, um seine Beschwerden womöglich durch die Kur loszuwerden. Jede einfache, geradlinige, jede jugendlich-puritanische Lebensweisheit nun würde, auf klare und einfache Lehren der Chemie und Physiologie gestützt, diesen Kranken neben den heißen Bädern vor allem eine spartanisch einfache, fleischlose und alkoholfreie, reizlose Ernährung dringendst anraten, womöglich sogar Fastenkuren. So jugendlich, so einfach und einseitig aber denkt man in Baden nicht, sondern seit Jahrhunderten ist Baden ebensosehr wie durch seine Bäder durch seine üppige und köstliche Küche berühmt, und in der Tat gibt es wohl im Lande wenige Orte und Gasthäuser, wo die Leute so gut und reichlich schmausen, wie die Stoffwechselkranken in Baden es tun. Da werden die delikatesten Schinken mit Dezaley, die saftigsten Schnitzel mit Bordeaux begossen, zierlich schwimmt zwischen Suppe und Braten die blaue Forelle, und den reichlichen Fleischgängen folgen wunderbare Kuchen, Puddings und Cremen.

Frühere Autoren haben diese uralte Badener Eigentümlichkeit verschieden zu erklären versucht. Die hiesige hohe Küchenkultur zu verstehen und zu billigen ist leicht; jeder der tausend Kurgäste tut es täglich zweimal; sie zu erklären ist schwieriger, da die Ursachen sehr komplexer Natur sind.

Einige der wichtigsten nenne ich im folgenden, zuvor aber möchte ich mit aller Entschiedenheit jene platt rationalistischen Begründungen ablehnen, denen man so häufig begegnet. Oft zum Beispiel hört man vulgäre Denker sagen, das gute Badener Essen, das im Widerspruch mit den eigentlichen Interessen der Kurgäste steht, habe sich eben im Laufe der Zeit so ausgebildet und rühre von der Konkurrenz der verschiedenen Badehotels her, denn Baden sei nun einmal seit alters für gutes Essen bekannt und jeder Wirt habe das Interesse, hierin hinter den Konkurrenten mindestens nicht zurückzustehen. Diese so wohlfeile und oberflächliche Argumentation hält keiner Prüfung stand, schon weil sie das Problem selbst umgeht und die Frage nach dem eigentlichen Entstehen der guten Badener Küche durch den Hinweis auf Tradition und Vergangenheit abtun will. Und am allerwenigsten kann uns der absurde Gedanke genügen, die Gewinnsucht der Gastwirte sei schuld an dem guten Essen! Als ob irgendein Wirt ein Interesse daran haben könnte, seine Spesen für Metzger, Bäcker und Konditor möglichst zu vergrößern, und gar hier in Baden, wo jeder Besitzer eines Badehotels seinen Gästemagneten, seine große, nie erlahmende Attraktion seit Jahrhunderten unten im Keller liegen hat in Gestalt der heißen Mineralquellen!

Nein, wir müssen wesentlich tiefer graben, um dem Phänomen eine Theorie zu geben. Das Geheimnis liegt weder in Gewohnheiten und Traditionen der Vergangenheit noch im Kalkül der Wirte, es liegt tief im Grunde des Weltgefüges, als eine der ewigen, als gegeben hinzunehmenden Antinomien. Wäre das Essen in Baden traditionell mager und spärlich, so könnten die Wirte zwei Drittel ihrer Ausgaben sparen und hätten dennoch die Häuser voll, denn ihre Gäste werden nicht vom Essen hierher gezogen, sondern von den Zuckungen ihres nervus ischiadicus hergejagt. Aber nehmen wir nun einmal, probeweise, an, man lebe in Baden rationell, man bekämpfe Harnsäure und Sklerose nicht bloß mit Bädern, sondern auch mit Abstinenz und Fasten – was wäre die mutmaßliche Folge? Die Kurgäste würden gesund werden, und in Bälde würde es im ganzen Lande keine Ischias mehr geben, welche doch, gleich allen Formen der Natur, ihr Recht auf Dasein und Dauer hat. Die Bäder würden entbehrlich, die Hotels müßten verfallen. Und wenn man diesen letztern Schaden auch gering achten wollte oder ersetzen könnte, so würde doch das Fehlen der Gicht und Ischias im Weltplan, das Leerlaufen der köstlichen Quellen keine Verbesserung der Welt ergeben, sondern das Gegenteil.

Nächst dieser mehr theologischen Begründung folge die psychologische. Wer von uns Kurgästen wollte, neben den Bädern und Massagen, neben der Sorge und Langeweile auch noch Fasten und Kasteien ertragen? Nein, wir ziehen es vor, nur halb gesund zu werden und es dafür etwas vergnüglicher und hübscher zu haben, wir sind nicht Jünglinge mit unbedingten Forderungen an uns und andre, sondern ältere Leute, tief in die Bedingtheiten des Lebens verstrickt, daran gewohnt, fünfe gerade sein zu lassen. Und bedenken wir die Frage ernstlich: wäre es richtig und wünschenswert, daß jeder von uns durch eine ideale Kur vollkommen und ganz geheilt würde und nie zu sterben brauchte? Wenn wir diese etwas heikle Frage ganz gewissenhaft beantworten, so lautet unsere Antwort: Nein. Nein, wir wollen nicht ganz geheilt sein, wir wollen nicht ewig leben.

Allerdings möchte jeder von uns, für sich allein befragt, vielleicht eher ja sagen. Wenn ich, der Kurgast und Schriftsteller Hesse, gefragt würde, ob ich damit einverstanden sei, daß dem Schriftsteller Hesse Krankheit und Tod erspart bleibe, ob ich sein ewiges Fortleben für gut, wünschenswert und notwendig halte, so würde ich, eitel wie Literaten es sind, die Frage vielleicht zunächst bejahen. Aber sobald man mir dieselbe Frage in bezug auf andere stellte, auf den Kurgast Müller, den Ischiatiker Legrand, auf den Holländer von Nummer 64, so würde ich mich sehr rasch zum Nein entschließen. Nein, es ist in der Tat nicht notwendig, daß wir älteren, nicht mehr allzu hübschen Leute, sei es auch ohne Gicht, endlos weiterleben. Es wäre sogar sehr fatal, es wäre sehr langweilig, sehr häßlich. Nein, wir wollen gerne sterben, später. Aber für heute ziehen wir vor, nach den ermüdenden Bädern, nach dem mühsam totgeschlagenen Vormittag, es ein wenig gut zu haben, einen Hühnerflügel abzunagen, einen guten Fisch abzuhäuten, ein Glas Rotwein zu schlürfen. So sind wir, feig und schwach und genußsüchtig, alte, egoistische Leute. So ist unsre Psychologie, und da unsre Seele, die der Rheumatiker und alternden Leute, auch die Seele Badens ist, sehen wir die Badener Eßtradition auch von dieser Seite gerechtfertigt.

Ist es nun genug der Beweise, der Rechtfertigung für unser Wohlleben? Bedarf es weiterer Gründe? Es gibt noch hundert. Ein einziger, sehr einfacher, sei noch genannt: die Mineralbäder »zehren« nämlich, das heißt, sie machen hungrig. Und da ich nicht bloß Kurgast und Esser bin, sondern zu andern Zeiten auch den Gegenpol aufsuche und die Freuden des Fastens kenne, beschwert es mein Gewissen nicht, angesichts einer darbenden Welt und zum Schaden für meinen Stoffwechsel drei Wochen lang die Schlemmerei mitzumachen.

Ich bin lange abgeschweift. Kehren wir zum Tageslauf zurück! Ich sitze also an der Mittagstafel, sehe den Fisch, den Braten, das Obst einander ablösen, blicke in den Pausen lange und nachdenklich auf die Beine der servierenden Saaltöchter, alle in schwarzen Strümpfen, blicke nachdenklich, doch weniger lange auf die Beine des Oberkellners. Sie (die Beine des Oberkellners) sind uns Patienten allen ein teurer Anblick, ein Trost. Dieser Kellner nämlich, ohnehin ein sehr angenehmer Herr, hat einst an äußerst schweren und schmerzhaften Rheumatismen gelitten, so daß er nicht mehr zu gehen vermochte, und ist durch eine Badener Kur vollständig geheilt worden. Jeder von uns weiß es, manchen hat er es selbst erzählt. Darum sehen wir oft so nachdenklich auf die Beine des Oberkellners. Die Beine der jungen Saaltöchter aber, in schwarzen

Strümpfen, sind ganz ohne Kur von selber so schlank und beweglich, und dies dünkt uns noch tieferen Nachdenkens wert.

Da ich für mich allein lebe, sind die Mahlzeiten auch die einzigen Anlässe, bei denen ich meine Mitkurgäste etwas näher kennenlerne. Ihre Namen zwar weiß ich nicht, und ich habe nur mit wenigen ein Wort gewechselt, aber ich sehe sie sitzen, sehe sie essen und erfahre dabei manches. Der Holländer, mein Zimmernachbar, dessen Stimme jeden Abend und Morgen durch die Wand hindurch mich stundenlang des Schlafes beraubt, hier bei Tische spricht er mit seiner Frau so gedämpft, daß ich seine Stimme nicht kennen würde, wäre es nicht von Nummer 64 her. O du sanfter Knabe!

Einige Figuren unsres mittäglichen Theaters erfreuen mich täglich durch die Entschiedenheit ihres Umrisses, durch die Bestimmtheit ihrer Rolle. Es ist eine Riesin aus Holland da, zwei Meter hoch oder mehr und reichlich schwer, eine majestätische Erscheinung, würdig, unsre Kurfürstin darzustellen. Ihre Haltung ist prachtvoll, ihr Gang aber läßt zu wünschen übrig, und seltsam kokett und gefährlich, fast beklemmend sieht es aus, wenn sie den Saal betritt, gestützt auf einen zierlich dünnen, spielerischen Stock, den man in jedem Augenblick erwartet brechen zu sehen. Aber vielleicht ist er von Eisen.

Dann ist ein furchtbar ernsthafter Herr da, ich wette, daß er mindestens Nationalrat ist, durch und durch moralisch, männlich, patriotisch, das untere Augenlid etwas rot und hängend wie bei jenen treuen Hunden am St. Bernhard, der Nakken breit und steif, jedem Schlag standhaltend, die Stirn voll Falten, die Brieftasche voll wohlerworbener und genau gezählter Banknoten, die Brust voll einwandfreier, hoher, doch intoleranter Ideale. Einmal in einer furchtbaren Nacht hat mir geträumt, dieser Mann sei mein Vater und ich stehe vor ihm und müsse mich verantworten: erstens wegen Mangels an Patriotismus, zweitens wegen eines Spielverlustes von fünfzig Franken, drittens weil ich ein Mädchen verführt hätte. Am Tag nach jenem tödlichen Traume sehnte ich mich sehr nach dem leibhaften Wiedersehen jenes Herrn, vor dem ich im Traume so sehr hatte zittern müssen. Sein Anblick würde mich heilen, denn stets ist ja die Wirklichkeit so viel harmloser als das Bild unsres Angsttraumes, der Mann würde vielleicht lächeln oder mir zunicken oder einen Scherz mit der Saaltochter machen oder mindestens durch seine körperliche Erscheinung das Zerrbild meines Traumes korrigieren. Aber als es Mittag war und ich den strengen Herrn beim Essen wiedersah, da nickte er nicht noch lächelte er, finster saß er vor seiner Rotweinflasche, und jede Falte seiner Stirn und seines Nakkens drückte unerbittliche Moralität und Entschlossenheit aus, und ich hatte furchtbare Angst vor ihm, und am Abend betete ich, ich möchte nicht wieder von ihm träumen müssen.

Dagegen wie hold, wie lieblich und voll Anmut ist Herr Kesselring, ein Mann in den besten Jahren, sein Beruf ist mir nicht bekannt, aber er muß Hidalgo oder etwas Ähnliches sein. Hellblond wallt das Seidenhaar um seine reine Stirn, zart lockt in seiner Wange das heitere Grübchen, schwärmerisch und entzückt blickt das hellblaue Kinderauge, zärtlich streicht die lyrische Hand über die elegante farbige Weste. Kein Falsch kann in dieser Brust wohnen, keine unedle Regung den Adel dieser poetischen Züge trüben. Rosig vom Scheitel bis zur Zehe, wie ein Mädchen von Renoir, mag Kesselring in jüngeren Jahren wohl den schelmischen Gespielen Cupidos sich gesellt haben, der Holde. Wie aber dieser süße Bursche mich erschreckte und enttäuschte, als er mir einst zur Dämmerstunde im Rauchzimmer eine kleine Taschenkollektion von unanständigen Bildchen zeigte, dafür fehlen mir die Worte.

Der interessanteste und hübscheste Gast, den ich in diesem Saale je gesehen, ist aber heute nicht da, nur ein einziges Mal habe ich ihn hier sitzen sehen, und da saß er mir gegenüber an meinem kleinen runden Tisch, eine Abendstunde lang, mit den braunen frohen Augen, mit den schlanken klugen Händen, zwischen all den Patienten eine einsame Blume voll Jugend und Glanz. Geliebte, komm wieder, um mit mir von den guten Speisen zu essen und den guten Wein zu kosten und den Saal mit unsern Märchen und unsrem Gelächter zu erhellen!

Wir Gäste kontrollieren einander, wie das in Sommerfrischen üblich ist, nur spielt dabei die Mode und Eleganz eine geringe Rolle. Desto genauer verfolgen wir das Befinden unsrer Mitbrüder, denn in ihnen sehen wir uns selbst gespiegelt, und wenn der greise Herr von Nummer 6 heute einen guten Tag hat und von der Türe bis zum Tisch alleine gehen kann, so freut das uns alle, und alle schütteln wir betrübte Köpfe, wenn wir hören, daß Frau Flury heute das Bett nicht verlassen könne.

Nachdem wir dann eine Stunde lang gut gegessen und einander betrachtet haben, brechen wir ungern dies Vergnügen ab und verlassen den Saal unsres Wohlgefallens. Für mich fängt jetzt der leichtere Teil des Tages an. Bei gutem Wetter suche ich den Hotelgarten auf, wo ich an verstecktem Ort einen Liegestuhl stehen habe, mein Notizbuch und Bleistift und einen Band Jean Paul dabei. Um drei oder vier Uhr habe ich meistens »Behandlung«, das heißt, ich muß beim Arzt antreten und werde von seinen Assistentinnen nach den neuesten Methoden behandelt. Ich sitze unter der Quarzlampe, wobei ich das Verlangen habe, die Sonnenkräfte dieser Zauberlaterne möglichst auszunützen und die bedürftigsten Körperteile so nahe wie möglich ans Zündloch zu halten. Einige Male habe ich mich dabei verbrannt. Ferner erwartet mich die unermüdliche Mitarbeiterin des Doktors zur Diathermie. Sie bindet kleine Kissen, elektrische Pole, um mein Handgelenk und läßt den Strom hindurch, während sie zugleich mit zwei ebensolchen Kissen meinen Nacken und Rücken bearbeitet, wobei ich nichts zu tun habe als zu schreien, wenn es zu sehr brennt. Auch besteht – ein Reiz mehr – während dieser Behandlungszeit stets die Möglichkeit, daß der Arzt eintritt und sich ein Gespräch mit ihm ergibt, und wenn auch diese Hoffnung sich an neunzehn von zwanzig Tagen nicht erfüllt, mitgerechnet muß sie doch werden.

Ich entschließe mich zu einem kleinen Spaziergang, und wie ich am Tor des Kurgartens vorbeikomme, merke ich am lebhaften Besuch, daß oben im Kursaal wieder eines der vielen Konzerte sein muß, welche dort immerzu stattfinden und von denen ich noch keines gehört habe. Ich trete also ein und finde im Kursaal ein sehr zahlreiches Publikum versammelt, es ist das erstemal, daß ich das hiesige Kur- und Krankenvolk so in corpore antreffe. Hunderte von Kollegen und Kolleginnen sitzen da auf Stühlen, einige vor einem Tee oder Kaffee, andre mit Büchern oder Strickstrümpfen versehen, und hören einer kleinen Gesellschaft von Musikern zu, welche fern im Hintergrund des Saales heftig spielen. Lange steh ich bei der Tür und schaue und höre zu, denn kein Stuhl ist frei. Ich sehe die Musiker arbeiten, sie spielen komplizierte Stücke meist unbekannter Meister, und es liegt nicht an der Qualität ihres Spiels, wenn ich diesem ganzen Unternehmen keine Sympathie entgegenbringen kann. Die Musiker machen ihre Sache sogar sehr gut – und eben darum wünsche ich, sie möchten richtige Musik spielen statt all dieser Kunststücke, Bearbeitungen und Arrangements. Und doch wünsche ich auch dieses eigentlich nicht. Es wäre mir um nichts wohler, wenn statt diesem unterhaltenden Auszug aus Carmen oder aus der Fledermaus etwa ein Schubertquartett oder ein Duo von Händel gespielt würde. Um Gottes willen, das wäre noch schlimmer. Ich habe das bei einem ähnlichen Anlasse einmal erleben müssen. Bei schwach besuchtem Saal spielte damals der erste Geiger einer Cafémusik die Chaconne von Bach, und während er sie spielte, notierte mein Ohr folgende gleichzeitige Eindrücke: zwei junge Herren bezahlten einer Kellnerin ihre Zeche und ließen sich kleine Münzen auf den Tisch zählen – eine energische Dame reklamierte in der Garderobe heftig ihren Regenschirm – ein etwa vierjähriger, entzückender kleiner Junge unterhielt eine Tischrunde durch sein hellstimmiges Gezwitscher –, außerdem waren Flaschen und Gläser, Tassen und Löffel in Tätigkeit, und eine alte Frau mit schwachem Augenlicht stieß, zu ihrem eigenen heftigen Schrecken, einen Teller mit Gebäck über den Tischrand hinab. Jeder dieser Vorgänge, für sich betrachtet, war ein vollgültiges, meiner Sympathie und Aufmerksamkeit würdiges Geschehnis, dem gleichzeitigen Andringen und Werben so vieler Eindrücke aber fühlte ich mich seelisch nicht gewachsen. Und daran war einzig die Musik schuld, die Bachsche Chaconne, sie war es allein, welche störte. – Nein, alle Achtung vor den Musikern im Kursaal! Aber diesem Konzert fehlte für mich die eine Hauptsache: der Sinn. Daß zweihundert Personen Langeweile haben und nicht wissen, wie sie den Nachmittag herumbringen sollen, das ist in meinen Augen keine zureichende Begründung dafür, daß einige gute Musiker Bearbeitungen aus bekannten Opern spielen. Was diesem Konzert hier fehlte, war bloß das Herz, das Innerste: die Notwendigkeit, das lebendige Bedürfnis, die Spannung von Seelen, wartend auf Erlösung durch die Kunst. Indessen kann ich mich hierin täuschen. Wenigstens sehe ich bald, daß auch dieses eher schwunglose Publikum nicht eine homogene Masse ist, sondern aus vielen einzelnen Seelen besteht, und eine dieser Seelen reagiert auf die Musiker mit größter Sensibilität. Zuvorderst im Saal, ganz nahe dem Podium, sitzt ein leidenschaftlicher Musikfreund, ein Herr mit schwarzem Bart und goldenem Kneifer, der wiegt, weit zurückgelegt, mit geschlossenen Augen trunken seinen hübschen Kopf im Takte der Musik, und wenn ein Stück zu Ende ist, so erschrickt er, reißt die Augen auf und eröffnet als erster die Salve des Beifalls. Allein mit dem Klatschen nicht zufrieden, erhebt er sich auch noch, tritt ans Podium, weiß sich dem Kapellmeister von hinten bemerklich zu machen und überschüttet ihn, unter andauerndem Beifall der Menge, mit Worten begeisterten Lobes.

Des Stehens müde und von dieser Veranstaltung weniger hingerissen als der bärtige Enthusiast, denke ich bei der zweiten Pause eben daran, mich wieder zu entfernen, als aus einem Nebenraume her ein rätselhaftes Geräusch mein Ohr erreicht.

Ich frage einen benachbarten Ischiatiker und erfahre, daß dort ein Spielsaal sei. Erfreut eile ich hinüber. Richtig, da stehen Palmen in den Ecken und runde plüschene Sitzgelegenheiten, und an einem großen grünen Tisch wird, wie es scheint, Roulette gespielt. Ich pirsche mich heran, der Tisch ist dicht von Neugierigen umstellt, zwischen deren Schultern hindurch ich einen Teil der Vorgänge beobachten kann. Mein Auge wird zuerst gefesselt von dem Herrn des Tisches, einem rasierten Herrn im Frack, ohne Alter, mit braunen Haaren und einem stillen philosophischen Angesicht, der eine staunenerregende Fertigkeit darin besitzt, mit nur einer Hand und mit Hilfe einer aparten elastischen Krücke oder Harke Geldstücke blitzschnell von jedem Felde des Tisches auf beliebige andere Felder zu schnellen. Er handhabt die biegsame Talerharke wie ein geschickter Forellenangler die englische Stahlrute, und außerdem kann er Geldstücke im Bogen durch die Luft so schleudern, daß sie auf dem gewünschten Tischfeld niederfallen. Und bei all dieser Tätigkeit, deren Rhythmen durch die Rufe seines jüngeren Gehilfen, welcher die Kugel bedient, beeinflußt werden, bleibt sein stilles, blank rasiertes und rosiges Gesicht unter dem braunen, etwas leblosen Haar immerdar gleich still und ruhig. Lange sehe ich ihm zu, wie er unbeweglich sitzt, auf einem eigenen, besonders gebauten Stühlchen mit schräggestellter Sitzfläche, wie er in dem stillen Gesicht einzig die raschen Augen bewegt, wie er die Talerstücke mit spielender Linken ausschleudert, sie mit spielender Rechten mittels der Harke wieder einfängt und in die Ecken schnellt. Vor ihm stehen Säulen von großen und kleinen Silberstücken, Stinnes kann nicht mehr haben. Immerzu wirft sein Gehilfe den Ball, der in ein beziffertes Loch rollt, immerzu ruft er die Zahl des Loches aus, ladet zum Spiele ein, teilt mit, daß die Einsätze gemacht seien, warnt: »rien ne va plus«, und immerzu spielt und arbeitet der ernste Herr am Tische. Oft hatte ich dies schon gesehen, in früheren Jahren, in der fernen sagenhaften Zeit vor dem Kriege, in den Jahren meiner Reisen und Wanderungen, in vielen Städten der Welt hatte ich diese Palmen und Polster, diese selben grünen Tische und Kugeln gesehen und dabei an die schönen schwülen Spielergeschichten von Turgenjew und Dostojewski gedacht und mich dann wieder anderen Dingen zugewendet. Nur eines fiel mir hier bei näherer Prüfung auf, daß nämlich das ganze Spiel einzig zur eigenen Belustigung des Herrn im Frack betrieben wurde. Er warf seine Taler aus, schob sie von Fünf auf Sieben, von Grade auf Ungrade, zahlte das Gewonnene aus, strich das Verlorene ein – aber alles war sein eigenes Geld. Kein Mensch aus dem Publikum machte einen Einsatz, es waren lauter Kurgäste, meist von ländlicher Herkunft, die mit Freude und tiefer Bewunderung, ebenso wie ich, den Evolutionen des Philosophen folgten und den französischen, kühlen, wie geeisten Rufen seines Gehilfen lauschten. Als ich nun, von Mitleid ergriffen, zwei Franken auf die mir erreichbare Ecke des Tisches legte, richteten fünfzig Augen sich gebannt und weit aufgerissen auf mich,und das war mir so peinlich, daß ich kaum mehr den Augenblick abwartete, wo meine Franken unter der Harke verschwanden, und mich eilig entfernte.

Auch heute wieder bringe ich einige Minuten vor den Schaufenstern der Badestraße zu. Da sind mehrere Ladengeschäfte, in welchen die Kurgäste die ihnen unentbehrlich scheinenden Artikel kaufen können, namentlich Ansichtskarten, bronzene Löwen und Eidechsen, Aschenbecher mit Bildnissen berühmter Männer (so daß der Käufer sich zum Beispiel den Spaß machen kann, täglich seine brennende Zigarre dem Richard Wagner ins Auge zu stoßen) und viele andere Gegenstände, über welche ich mich nicht zu äußern wage, da ich trotz langem Betrachten ihre Artung und Bestimmung nicht zu ergründen vermochte; manche von ihnen scheinen den kultlichen Bedürfnissen primitiver Volksstämme zu dienen, doch mag dies ein Irrtum sein, und alle zusammen machen sie mich traurig, denn sie zeigen mir allzu deutlich, daß ich trotz allem guten Willen zur Sozialität dennoch außerhalb der bürgerlichen und wirklichen Welt lebe, nichts von ihr weiß und sie ebensowenig je wirklich verstehen werde, wie ich, trotz allen meinen langjährigen schriftlichen Bemühungen, mich jemals ihr verständlich werde machen können. Wenn ich in diese Schaufenster blicke, in welchen nicht Gegenstände des täglichen Bedarfs angeboten werden, sondern sogenannte Geschenk-, Luxus- und Scherzartikel, dann entsetzt mich die Fremdheit dieser Welt; unter hundert Gegenständen sind zwanzig, dreißig, deren Bestimmung, Sinn und Gebrauchsart ich nur ganz vage zu ahnen vermag, und ist kein einziger, dessen Besitz mir wünschenswert schiene. Da sind Gegenstände, bei deren Anblick ich lange raten kann: steckt man das auf den Hut? oder in die Tasche? oder ins Bierglas? oder gehört es zu einer Art Kartenspiel? Es gibt da Bilder und Inschriften, Devisen und Zitate, welche aus mir völlig unbekannten, meiner Ahnung unzugänglichen Vorstellungswelten stammen, und es gibt dann wieder Verwendungsarten mir wohlbekannter und ehrwürdiger Symbole, die ich weder verstehen noch billigen kann. Die geschnitzte Figur Buddhas oder einer chinesischen Gottheit zum Beispiel auf dem Griff eines modischen Damenschirmes ist und bleibt mir rätselhaft, fremd und peinlich, ja unheimlich; ein gewolltes und bewußtes Sakrileg kann es kaum sein – welche Vorstellungen, Bedürfnisse und Seelenzustände aber den Unternehmer zur Herstellung, die Käufer zum Kauf dieser irrsinnigen Gegenstände bewegen, dies ist es, was zu wissen ich so begierig wäre und was ich auf keine Weise erfahren kann. Oder ein modisches Kaffeehaus, wo um fünf Uhr die Leute sitzen! Ich kann es vollkommen verstehen, daß wohlhabende Leute Spaß daran finden, Tee, Kaffee und Schokolade zu trinken und dazu Schlagsahne und teure feine Patisserien zu genießen. Warum aber freie und vollsinnige Menschen sich im Genuß dieser Dinge durch eine aufdringlich einschmeichelnde, übersüßte Musik, durch ein unsäglich enges und unherrschaftliches, banges Sitzen in überfüllten, engen, mit ganz entbehrlichem Putz und Schmuck überladenen Räumen stören lassen, vielmehr warum all diese Störungen, Unbequemlichkeiten und Widersprüche von den Menschen gar nicht als solche empfunden, sondern noch geliebt und aufgesucht werden, dies werde ich nie ergründen und habe mir angewöhnt, es meiner, wie gesagt, leicht schizophrenen Geistesanlage zuzuschreiben. Aber immer wieder macht es mir Sorgen. Und die gleichen eleganten und wohlhabenden Leute, die in solchen Cafés sitzen, von klebrig süßer Musik im Denken, im Plaudern, beinah im Atmen gehemmt, umgeben von dickem, klotzigem Luxus, von Marmor, Silber, Teppichen, Spiegeln, die gleichen Leute hören abends mit angeblichem Entzücken einen Vortrag über die edle Einfachheit des japanischen Lebens an und haben Mönchslegenden und die Reden Buddhas in schönen Drucken und Einbänden zu Hause liegen. Ich will ja wahrlich kein Zelot und Sittenprediger sein, ich bin sogar gerne für manche ziemlich tollen und gefährlichen Laster zu haben und freue mich, wenn die Leute vergnügt sind, denn mit vergnügten Menschen lebt es sich angenehmer – – aber sind sie denn vergnügt? lohnt sich wirklich all der Marmor, die Schlagsahne, die Musik? Lesen diese selben Leute nicht, bedient vom livrierten Diener und mit Tellern voll feiner süßer Fressereien vor sich, in ihren Zeitungen lauter Berichte von Hungersnot, Aufstand, Schießereien, Hinrichtungen? Steht nicht hinter den Riesenglasscheiben dieser eleganten Kaffeehäuser eine Welt voll blutiger Armut und Verzweiflung, voll Irrsinn und Selbstmord, voll Angst und Entsetzen? Nun ja, ich weiß, alles das muß sein, alles ist irgendwie richtig, und Gott will es so. Aber das weiß ich doch eben nur so, wie man das Einmaleins weiß. Überzeugend ist dies Wissen nicht. In Wahrheit finde ich all dies gar nicht richtig und gottgewollt, sondern verrückt und scheußlich.

Bekümmert wende ich mich jenen Läden zu, in welchen Ansichtspostkarten ausgestellt sind. Hier kenne ich mich schon sehr gut aus, ich darf sagen, daß ich die Ansichtskarten Badens ziemlich erschöpfend studiert habe, alles in dem Bestreben, aus diesem Symptom seiner Bedürfnisse den Durchschnittskurgast und seine Seele noch besser kennenzulernen. Es gibt in ziemlicher Menge hübsche Nachbildungen alter Badener Veduten, auch alter Gemälde und Stiche mit Badeszenen, aus welchen man sieht, daß in Baden in früheren Jahrhunderten zwar weniger seriös und anständig, vielleicht auch weniger hygienisch als heute, dafür aber entschieden vergnüglicher gelebt und gebadet wurde. Diese alten Bildchen, ihre Türme und Giebel, ihre Trachten und Kostüme, alles macht einem ein wenig Heimweh, obwohl man natürlich keineswegs in jenen Zeiten gelebt haben möchte. Alle diese Städtebilder, Straßenbilder, Badebilder, seien sie nun aus dem sechzehnten oder dem achtzehnten Jahrhundert, strömen ganz leise und sanft jene stille Traurigkeit aus, die von allen solchen Bildern ausgeht, denn alles auf diesen Bildern ist hübsch, auf allen scheint zwischen Natur und Mensch Friede zu herrschen, scheinen Häuser und Bäume nicht im Krieg miteinander zu liegen. Schönheit und Einheitlichkeit scheint alles zu umfassen, vom Erlengehölz bis zur Tracht der Schäferin, vom zinnengekrönten Torturm bis zu Brücke und Brunnen und noch bis zu dem schlanken Hündlein, das an die Empiresäule pißt. Man findet Drolliges, Dummliches, Eitles auf manchen dieser alten Bildchen, aber man sieht nichts Häßliches, nichts Schreiendes; die Häuser stehen nebeneinander wie Feldsteine oder wie Vögel, die in einer Reihe auf der Stange sitzen, während in jetzigen Städten fast jedes Haus das andre anschreit, ihm Konkurrenz macht, es wegdrücken möchte.

Und es fällt mir ein, wie einmal meine Geliebte bei einem schönen Fest, wo alles in Kostümen der Mozartzeit herumlief, plötzlich Tränen in den Augen hatte und, als ich erschrocken fragte, sagte: »Warum muß heute alles so häßlich sein?« Ich tröstete sie damals damit, daß unser Leben um nichts schlechter, daß es freier, reicher und größer ist als jene es hatten, daß unter den hübschen Perücken Läuse waren und hinter der

Pracht der Spiegelsäle und Kerzenleuchter hungernde und unterdrückte Völker und daß es überhaupt gut sei, daß wir von jenen frühern Zeiten gerade nur das Allerhübscheste, die Erinnerung an ihre heitere Sonntagsseite, übrigbehalten haben. Aber nicht an allen Tagen denkt man so vernünftig.

Kehren wir zu den Ansichtskarten zurück! Es gibt da hierzulande eine besondere Kategorie von Bilderkarten, die der Originalität nicht entbehren. Die hiesige Gegend wird vom Volksmund das Rübliland genannt, und nun gibt es verschiedene Serien von Bildern, auf welchen Volksszenen jeder Art dargestellt sind, Szenen aus der Schule, vom Militär, Familienausflüge, Prügeleien, und alle Menschen auf diesen Bildern sind als Rüben dargestellt. Man sieht Rüben-Liebespaare, Rüben-Duelle, Rüben-Kongresse. Diese Karten erfreuen sich großer Beliebtheit, gewiß mit Recht, und doch machen auch sie mich nicht froh. Neben den historischen Ansichten und den Rüblibildern ist als dritte umfangreiche Kategorie diejenige der erotischen Darstellungen zu nennen. Auf diesem Gebiete, sollte man denken, ließe sich etwas leisten und es könnte durch Bilder dieser Art etwas Rasse, etwas Saft und Blüte in diese öde Welt der Schaufenster kommen. Aber diese Hoffnung mußte ich schon in den ersten Tagen aufgeben. Ich war erstaunt zu sehen, daß gerade das Liebesleben in dieser Bilderwelt sehr zu kurz gekommen war. Alle die Hunderte von Bildern dieser Kategorie zeichnen sich durch eine beklagenswerte Unschuld und Schamhaftigkeit aus, und auch hier fand ich meinen Geschmack dem der Allgemeinheit äußerst schlecht angepaßt, denn wenn jemand mir den Auftrag gäbe, Darstellungen aus dem Liebesleben zu sammeln, ich würde wahrlich ganz andere Bilder bringen als ich sie hier dargeboten finde. Hier herrscht weder das Pathos der reinen Erotik noch die Poesie des halbversteckten Spiels, sondern es herrscht überall eine süß verschämte Verlobungsstimmung, alle die vielen Liebespaare waren sorgfältig und schick gekleidet, die Bräutigame häufig im Gehrock und mit hohem Hute,

Blumensträuße in den Händen, manchmal schien der Mond dazu, und unter dem Bilde suchte ein Vers die Situation zu erklären, zum Beispiel:

Du holdes Wesen, bei des Mondes Blinken
Seh in deinem blauen Aug' mein Glück ich winken.

Ich war von dieser Kategorie sehr enttäuscht, die Hersteller dieser Postkarten hatten offenbar vom Liebesleben mehr nur den konventionellen und uninteressanten Teil wahrgenommen. Immerhin notierte ich mir einige jener Verse, als Beispiele populärer Dichtung aus unsrem Zeitalter, zum Beispiel diesen:

Mit dem geliebten Wesen Hand in Hand,
Das ist mein Ideal, der Seelen heilig Band.

So wenig meisterlich der Vers uns auch erscheinen möge, er war klassisch im Vergleich mit der Abbildung, die er begleitete. Ein junges Mädchen, dessen Kopf offensichtlich vom Wachsmodell eines Friseurladens entlehnt war, saß auf einer Bank unter Bäumen, und ein junger Herr in sehr gutem Anzug stand vor ihr, damit beschäftigt, seine Glacéhandschuhe an- oder auszuziehen.

Vor diesen Bildern stand ich denn auch heute wieder eine Weile, und da ich dabei Öde und Langeweile empfand und ein heftig brennendes Verlangen, diese ganze, an sich so schätzenswerte Welt der Konzerte, der Spieler, der korrekten Brautpaare und der Rüblibilder hinter mich zu bringen, schloß ich die Augen und flehte im Herzen Gott um Rettung an, denn wie ich fühlte, war ich nicht weit von einem Anfall tiefer Enttäuschtheit und faden Lebensekels entfernt, welche Anfälle mich zu meinem Jammer immer dann überraschen, wenn ich eben gutgewillt und ernsthaft den Versuch mache, mein Eremiten- und Sonderlingtum abzustreifen und Glück und Leid der Majorität zu teilen.

Und Gott half mir. Kaum hatte ich die Augen zugetan und mein Herz von der Kur- und Rübliwelt abgewandt, voll inniger Sehnsucht nach einem Gruß und Klang aus anderen, mir vertrauteren, mir heiligeren Sphären, da kam mir der erlösende Einfall. Es gab nämlich in unserem Hotel eine entlegene, nicht allen Gästen bekannte Ecke, wo unser Wirt, der viele solche liebenswerte Züge hat, zwei gefangene junge Marder in einem Drahtgefängnis von humanem Umfange hält. Nach den Mardern zu sehen, fühlte ich plötzlich ein Gelüste, gab blindlings nach, lief ins Hotel zurück und suchte das Verlies der Tiere auf. Kaum war ich bei ihnen, so war alles gut, ich hatte genau das gefunden, was ich in diesem kritischen Augenblick brauchte. Die beiden edlen, schönen Tiere, zutraulich und neugierig wie Kinder, ließen sich leicht aus ihrem Schlafloche locken, rannten, von der eigenen Kraft und Gelenkigkeit berauscht, in tollen Sprüngen durch den weiten Käfig, machten wieder am Gitter bei mir halt, atmeten heftig mit rosigen Schnauzen und schnoberten feuchtwarm an meiner Hand. Mehr hatte ich nicht gebraucht. In diese klaren Tieraugen zu blicken, diese herrlichen bepelzten Meisterwerke und Gottesgedanken zu sehen, ihren warmen lebendigen Atem zu fühlen, ihren scharfen wilden Raubtiergeruch zu riechen, das genügte, um mich vom unversehrten Vorhandensein aller Planeten und Fixsterne, aller Palmenwälder und Urwaldflüsse beruhigend zu überzeugen. Die Marder waren mir Gewähr für das, wofür ja der Anblick jeder Wolke, jedes grünen Blattes Gewähr genug hätte sein sollen; aber ich hatte eben dieser stärkeren Beweiskraft bedurft.

Die Marder waren stärker als die Ansichtskarten, als das Konzert, als der Spielsaal. Solang es noch Marder gab, noch Duft der Urwelt, noch Instinkt und Natur, solange war für einen Dichter die Welt noch möglich, noch schön und verheißungsvoll. Aufatmend fühlte ich den Alpdruck schwinden, lachte mich selber aus, holte für die Marder ein Stück Zucker und schlenderte befreit in den Abend hinaus. Die Sonne stand schon dicht am Rand der Waldberge, von leichtem goldnem Gewölk durchwehtes Blau strahlte hell und kindlich über das Tal meiner Irrungen, lächelnd fühlte ich meine gute Stunde kommen, dachte an meine Geliebte, spielte mit entstehenden Versen, spürte Musik, spürte Glück und Andacht durch die Welt wehen, warf anbetend alle Last des Tages von mir und schwang mich, Vogel, Falter, Fisch, Wolke, hinüber in die frohe, vergängliche, kindhafte Welt der Gestaltungen.

Von diesem Abend, an dem ich spät, müde und glücklich heimkehrte, will ich hier nicht berichten. Meine ganze Ischiatiker-Philosophie möchte mir dabei aus dem Leime gehen. Glücklich, müde und singend kam ich nachts zurück, und siehe, auch der Schlaf floh mich heute nicht, auch er, der so scheue Vogel, kam vertraulich und nahm mich auf blauem Flügel ins Paradies.

Der Holländer

Lange habe ich mich darum gedrückt, dies Kapitel zu schreiben. Nun muß es sein.

Als ich vor vierzehn Tagen mit Vorsicht und Sorgfalt mein Hotelzimmer Nummer 65 aussuchte, hatte ich im ganzen keine schlechte Wahl getroffen. Das Zimmer, hell und freundlich tapeziert, hat einen Alkoven, in dem das Bett steht, und erfreute mich durch seinen nicht alltäglichen, originellen Grundriß, es hat ein schönes Licht und etwas Aussicht auf Fluß und Weinberge. Ferner liegt es zuhöchst im Hause, es wohnt also niemand über mir, und von der Straße her sind kaum Störungen möglich. Ich hatte gut gewählt. Ich hatte damals auch nach den Zimmernachbarn gefragt und beruhigende Auskunft erhalten. Auf der einen Seite wohnte eine alte Dame, von der ich in der Tat nie etwas hörte. Auf der andern Seite, in Nummer 64, aber wohnte der Holländer! Im Lauf von zwölf Tagen, im Lauf von zwölf bitteren Nächten ist mir dieser Herr überaus wichtig geworden, ach allzu wichtig, er ist eine mythische Figur, ein Götze, ein Dämon und Gespenst für mich geworden, das ich erst vor wenigen Tagen besiegt habe.

Niemand, dem ich ihn zeigen würde, würde es mir glauben. Dieser Herr aus Holland, der mich seit so vielen Tagen am Arbeiten, seit so vielen Nächten am Schlafen gehindert hat, ist weder ein tollwütiger Berserker noch ein enthusiastischer Musiker, weder kommt er zu unerwarteten Zeiten betrunken nach Hause noch schlägt er seine Frau oder schimpft mit ihr, er pfeift und singt nicht, ja er schnarcht nicht einmal, wenigstens nicht so laut, daß es mich störte. Er ist ein solider, gesitteter, nicht mehr junger Mann, lebt regelmäßig wie eine Uhr und hat keinerlei auffallende Untugenden – wie ist es möglich, daß dieser ideale Bürger mich so leiden machte?

Es ist möglich, es ist leider Tatsache. Die beiden Hauptpunkte, die Grundpfeiler meines Unglücks, sind diese: zwischen den Zimmern Nummer 64 und 65 ist eine Tür, eine zwar verriegelte und mit einem Tisch verstellte, aber keineswegs dichte Tür. Dies ist das eine Unglück, es läßt sich nicht beheben. Das zweite, schlimmere: der Holländer hat eine Frau. Auch sie ist mit erlaubten Mitteln nicht aus der Welt oder doch aus Nummer 64 zu bringen. Und dann habe ich noch das ungewöhnliche Pech, daß meine Nachbarn, gerade wie ich selber, zu den verhältnismäßig seltenen Hotelgästen gehören, die den größern Teil ihres Tages auf ihren Zimmern zubringen.

Hätte ich nun ebenfalls eine Frau bei mir oder wäre ich Gesanglehrer oder hätte ich ein Klavier, eine Geige, ein Waldhorn, eine Kanone oder Pauke, so könnte ich den Kampf gegen meine holländischen Nachbarn mit der Hoffnung auf Erfolg aufnehmen. So aber ist die Lage diese: das Holländerpaar bekommt von mir während der vierundzwanzig Stunden des Tages keinen Ton zu hören, es wird von mir behandelt wie man Könige und Schwerkranke behandelt, wird von mir unaufhörlich mit der unausdenklichen Wohltat einer vollkommenen, absoluten Stille überschüttet. Und wie erwidern sie diese Wohltat? Sie gewähren mir, indem sie jede Nacht von zwölf bis sechs Uhr schlafen, eine tägliche Schonzeit von sechs Stunden. Ich habe die Wahl, ob ich diese Stunden zur Arbeit oder zum Schlaf, zu Gebet oder Meditation verwenden will. Über die übrigen achtzehn Stunden des Tages habe ich keine Verfügung, sie gehören nicht mir, diese täglichen achtzehn Stunden finden gewissermaßen überhaupt nicht bei mir, sondern nur in Nummer 64 statt. Achtzehn Stunden des Tages wird in Nummer 64 geplaudert, gelacht, Toilette gemacht, Besuch empfangen. Es wird nicht mit Schießwaffen hantiert noch wird Musik gemacht noch finden Schlägereien statt, dies muß ich anerkennen. Es wird aber auch nicht nachgedacht, nicht gelesen, nicht meditiert, nicht geschwiegen. Immerzu fließt der Fluß der Gespräche, oft sind vier und sechs Personen dort drüben beisammen, und abends plaudert das Ehepaar bis halb zwölf Uhr. Dann kommt das Klirren von Glas und Porzellan, das Feilen der Zahnbürsten, das Rücken einiger Stühle und die Melodie des Gurgelns. Dann krachen die Betten, und dann wird es still und bleibt still (das sei nochmals anerkannt) bis in der Frühe etwa um sechs Uhr, um welche Stunde einer der Ehegatten, ich weiß nicht ob er oder sie, sich erhebt und den Fußboden erbeben macht, er geht zum Bade, kehrt bald wieder; inzwischen ist auch für mich die Badestunde gekommen, und von meiner Wiederkehr an reißt der Faden der Gespräche, der Geräusche, des Lachens, des Stuhlrückens und so weiter nicht mehr ab bis wieder kurz vor Mitternacht.

Wäre ich nun ein vernünftiger, normaler Mensch wie andere, so würde ich mich leicht in die Lage schicken. Ich würde nachgeben, da nun einmal zwei stärker sind als einer, und würde meinen Tag irgendwo anders als in meinem Zimmer hinbringen, im Lese- oder Rauchzimmer, in den Korridoren, im Kursaal, in Restaurants, wie die meisten Kurgäste es tun. Und nachts würde ich eben schlafen. Statt dessen bin ich von der mühsamen, törichten und aufreibenden Leidenschaft besessen, tagsüber viele Stunden allein am Schreibtisch zu sitzen, angestrengt nachzudenken, angestrengt zu schreiben, oftmals nur, um das Geschriebene nachher wieder zu vernichten; und des Nachts habe ich zwar eine große, eine glühende Sehnsucht nach Schlaf, aber mein Einschlafen ist ein komplizierter Dämmerungsvorgang, welcher Stunden dauert, und dann ist der Schlaf sehr leise, sehr dünn und spröde, ein Hauch genügt, um ihn zu zerreißen. Und wenn ich um zehn, um elf Uhr noch so todmüde und noch so nahe am Einschlummern bin, es hilft nichts, es reicht nicht bis zum Schlafe, solange nebenan die Holländer ihre Geselligkeit pflegen. Und während ich erschöpft und sehnsüchtig warte, bis die Mitternacht kommt, bis der Mann aus dem Haag mir die Erlaubnis gewährt, eventuell einzuschlafen, bis dahin bin ich durch Warten, Zuhören und Denken an die morgige Arbeit wieder so wach und erregt geworden, daß der größte Teil der mir zugebilligten sechs Ruhestunden vorübergeht, ehe ich ein wenig Schlaf finde.

Ist es nötig, es eigens auszusprechen, daß mir wohl bewußt ist, wie unberechtigt meine Forderung an den Holländer ist, mich mehr schlafen zu lassen? Ist es nötig zu sagen, daß ich sehr wohl weiß, daß nicht er an meinem schlechten Schlafe und an meinen geistigen Liebhabereien schuld ist, sondern ich allein? Ich schreibe jedoch diese Notizen aus Baden nicht, um andere anzuklagen oder mich rein zu waschen, sondern um Erlebnisse aufzuzeichnen, seien es auch die seltsam verzerrten Erlebnisse des Psychopathen. Jene andere, verwickeltere Frage nach der Berechtigung des Psychopathen, jene furchtbare und erschütternde Frage, ob unter gewissen Zeit- und Kulturumständen es nicht würdiger, edler, richtiger sei, Psychopath zu werden, als sich diesen Zeitumständen unter Opferung aller Ideale anzupassen – diese schlimme Frage, die Frage aller differenzierten Geister seit Nietzsche, lasse ich auf diesen Blättern unberührt; sie bildet ohnehin das Thema fast aller meiner Schriften.

Durch die oben erzählten Umstände also ist der Holländer für mich zum Problem geworden. Nicht ganz erklären kann ich mir, warum ich, in Gedanken und Worten, es immer nur mit dem Holländer, in der Einzahl, zu tun habe. Es ist ja ein Paar, es sind ja zweie. Aber sei es, daß ich aus instinktiver Galanterie der Frau mehr Duldung entgegenbringe als dem Mann, sei es, daß die Stimme und der etwas schwere Schritt des Mannes es sind, die mich tatsächlich besonders belästigen, jedenfalls sind es nicht »die«, sondern es ist »der« Holländer, an dem ich leide. Zum Teil beruht dies instinktive Übergehen der Frau in meinen Feindschaftsgefühlen und die Mythisierung des Mannes zum Feind und Antipoden aber auf sehr tiefen, elementaren Trieben: der Holländer, der Mann mit der kräftigen Gesundheit, dem gedeihlichen Aussehen, dem würdigen Auftreten und vollen Portemonnaie, ist für mich, den Outsider, schon im Typus feindlich.

Er ist ein Herr von etwa dreiundvierzig Jahren, mittelgroß, von kräftiger, etwas untersetzter Gestalt, welche den Eindruck von Gesundheit und Normalität macht. Gesicht und Figur sind beleibt und rundlich, doch nicht so, daß es auffiele; der große kräftige Kopf mit etwas schweren Augendeckeln wirkt dadurch massig und drückt auf die ganze Figur, daß er auf einem schwach akzentuierten, ein wenig kurzen Halse sitzt. Gesundheit und Körpergewicht machen, obwohl der Holländer sich gemessen bewegt und vorzügliche Manieren hat, leider seine Bewegungen und Schritte wuchtiger und hörbarer, als für seinen Nachbarn wünschenswert ist. Seine Stimme ist tief und gleichmäßig, weder in der Tonhöhe noch in der Stärke viel wechselnd, die ganze Persönlichkeit, neutral betrachtet, wirkt seriös, zuverlässig, beruhigend, nahezu sympathisch. Etwas störend hingegen ist, daß er zu kleinen Erkältungen neigt (was übrigens alle Badener Kurgäste tun), die ihn heftig husten und niesen machen; in diesen Tönen kommt dann ebenfalls eine gewisse Wucht und Kraftfülle zum Ausdruck.

Dieser Herr aus dem Haag also hat das Unglück, mein Nachbar zu sein, tagsüber der Feind, Bedroher und oft Vernichter meiner geistigen Arbeit, einen Teil der Nacht hindurch der Feind und Vernichter meines Schlafes. Nicht an allen Tagen allerdings empfand ich seine Existenz als Strafe und Belastung. Es gab mehrere warme und sonnige Tage, an welchen es mir vergönnt war, meine Arbeit im Freien zu tun; im Hotelgarten in einem verborgenen kleinen Gehölz, die Mappe auf den Knien, schrieb ich meine Blätter voll, dachte meine Gedanken, ging meinen Träumen nach oder las zufrieden in meinem Jean Paul. An allen kühlen und Regentagen jedoch, und deren waren sehr viele, sah ich mich den ganzen Tag hindurch dem Feinde Wand an Wand gegenüber; während ich lautlos und gespannt am Schreibtisch über meinen Beschäftigungen hing, lief nebenan der Holländer auf und ab, füllte die Waschschüssel, spuckte das Becken voll, warf sich in den Sessel, unterhielt sich mit seiner Frau, lachte mit ihr über Witze, empfing Besuche. Es waren für mich oft sehr mühsame Stunden. Indessen hatte ich eine gewaltige Hilfe dabei, nämlich eben meine Arbeit. Ich bin kein Arbeitsheld und verdiene keine Fleißpreise, aber wenn ich schon einmal begonnen habe, mich von einer Vision oder von einer Gedankenreihe erfüllen und bezaubern zu lassen, wenn ich schon einmal, widerstrebend genug, mich auf den Versuch eingelassen habe, diese Gedanken in eine Form zu bringen, dann bin ich in dies Unternehmen verbissen und kenne nichts andres, was mir wichtig wäre. Es gab Stunden, da konnte in Nummer 64 ganz Holland Kirmes feiern, es berührte mich kaum, denn ich war bezaubert und hingenommen von dem einsamen, phantastischen und gefährlichen Geduldsspiel, das mich einspann, ich rannte hitzig mit krampfhafter Feder meinen Gedanken nach, baute Sätze, wählte unter zuströmenden Assoziationen, angelte hartnäckig nach den geeigneten Worten. Der Leser mag sehr darüber lachen, für uns Schreibende aber ist das Schreiben immer wieder eine tolle, erregende Sache, eine Fahrt in kleinstem Kahn auf hoher See, ein einsamer Flug durchs All. Während man ein einzelnes Wort sucht, unter drei sich anbietenden Worten wählt, zugleich den ganzen Satz, an dem man baut, im Gefühl und Ohr zu behalten –: während man den Satz schmiedet, während man die gewählte Konstruktion ausführt und die Schrauben des Gerüstes anzieht, zugleich den Ton und die Proportionen des ganzen Kapitels, des ganzen Buches irgendwie auf geheimnisvolle Weise stets im Gefühl gegenwärtig zu haben: das ist eine aufregende Tätigkeit. Ich kenne eine ähnliche Gespanntheit und Konzentration aus eigener Erfahrung nur noch bei der Tätigkeit des Malens. Da ist es ganz ebenso: jede einzelne Farbe zur Nachbarfarbe richtig und sorgfältig abzustimmen, ist hübsch und leicht, man kann das lernen und alsdann beliebig oft praktizieren. Darüber hinaus aber beständig die sämtlichen Teile des Bildes, auch die noch gar nicht gemalten und sichtbaren, wirklich gegenwärtig zu haben und mit zu berücksichtigen, das ganze vielmaschige Netz sich kreuzender Schwingungen zu empfinden: das ist erstaunlich schwer und glückt nur selten.

Es liegt also in der literarischen Arbeit eine so heftige Nötigung zur Konzentration, daß man bei stark gespanntem Produktionstrieb recht wohl äußere Behinderungen und Störungen überwinden kann. Der Autor, welchem nur an einem bequemen Tisch, bei bestem Licht, mit seinem eigenen gewohnten Schreibmaterial, auf besonderem Papier und so weiter seine Arbeit möglich scheint, ist mir verdächtig. Wohl sucht man instinktiv alle äußeren Erleichterungen und Bequemlichkeiten auf, wo sie aber nicht zu haben sind, geht es auch ohne sie. Und so gelang es mir oft, zwischen mich und Nummer 64 eine Distanz oder Isolierwand hinein zu schreiben, die mich für eine produktive Stunde schützte. Sobald ich aber zu ermüden begann, und dazu trug der angehäufte Schlafmangel mächtig bei, waren die Störungen wieder da.

Viel schlimmer als mit der Arbeit stand es mit dem Schlafen. Ich will hier meine rein psychologisch begründete Theorie der

Schlaflosigkeit nicht darlegen. Ich sage nur, daß jene vorübergehende Immunität gegen Holland, mein Hinweg-Konzentriertsein von Nummer 64, wohl je und je bei der Arbeit gelang, mit Hilfe beflügelnder Kräfte, daß meine Schlafversuche aber dieses Glück nicht teilten.

Der Schlaflose nun, wenn er seinem Leiden eine längere Weile preisgegeben ist, richtet, wie die meisten Menschen es in Zuständen nervöser Übermüdung tun, Gefühle der Ablehnung, des Hasses, ja der Vernichtungslust sowohl gegen sich selbst wie gegen die nächste Umgebung. Da die nächste Umgebung für mich nun einzig aus Holland bestand, häuften sich in mir während der schlaflosen Nächte langsam gegen Holland Gefühle der Abneigung, der Erbitterung, des Hasses an, die sich tagsüber nicht zerstreuen konnten, da die Spannung und Störung ja beständig fortbestand. Lag ich im Bette, durch den Holländer am Schlaf verhindert, fiebernd vor Übermüdung und ungestilltem Verlangen nach Ruhe, und hörte ich nebenan den Nachbar seine satten, festen, soliden Schritte tun, seine festen, strammen Bewegungen machen, seine markigen Töne bilden, dann empfand ich gegen ihn einen ziemlich vehementen Haß.

Immerhin aber blieb mir während dieser Situation stets bis zu einem gewissen Grade die Dummheit meines Hasses bewußt, ich konnte zwischenein immer wieder für Augenblicke über meinen Haß lächeln und ihm dadurch die Spitze abbrechen. Fatal aber wurde es mir, als dieser an sich unpersönliche, nur gegen die Störungen meines Schlafes, gegen meine eigene Nervosität, gegen die undichte Türe gerichtete Haß sich im Laufe der Tage immer weniger neutralisieren und verteilen ließ, als er allmählich immer törichter, immer einseitiger und persönlicher wurde. Es half am Ende nichts mehr, daß ich mir die persönliche Unschuld des Holländers vorhielt und bewies. Ich haßte ihn einfach, und zwar nicht nur etwa in den Augenblicken, wo er mir tatsächlich lästig war, wo mitten in tiefer Nacht sein lautes Schreiten, Reden und Lachen vielleicht in der Tat rücksichtslos war. Nein, ich haßte ihn jetzt ganz richtig, mit dem richtigen, naiven, dummen Haß, mit welchem ein erfolgloser kleiner christlicher Kaufmann die Juden oder ein Kommunist die Kapitalisten haßt, mit jener dummen, tierischen, vernunftlosen und im Grunde feigen oder neidischen Art von Haß, die ich an anderen stets so sehr bedaure, der die Politik, das Geschäft, die Öffentlichkeit vergiftet und dessen ich mich nicht für fähig gehalten hätte. Ich haßte nicht mehr bloß sein Husten, seine Stimme, sondern ihn selbst, seine reale Person, und wenn er mir, vergnügt und ahnungslos, tagsüber irgendwo begegnete, war es für mich die Begegnung mit einem ausgemachten Feind und Schädling, und all meine Philosophie reichte nur so weit, daß ich meinem Gefühl keine Äußerung gestattete. Sein glattes, frohes Gesicht, seine dicken Augendeckel, seine dicken, frohen Lippen, sein Bauch in der modischen Weste, sein Gehen und Benehmen, alles zusammen war mir zuwider und verhaßt, und am meisten haßte ich alle die unzähligen Anzeichen seiner Kraft, Gesundheit und Unverwüstlichkeit, sein Lachen, seine gute Laune, die Energie seiner Bewegungen, die überlegene Apathie seines Blikkes, alle diese Anzeichen seiner biologischen und sozialen Überlegenheit. Natürlich, auf diese Art war es leicht, gesund und guter Laune zu sein und den befriedigten Herrn zu spielen, wenn man Tag und Nacht vom Schlaf, von der Kraft anderer zehrte, wenn man die Rücksicht, das stille Betragen, die Beherrschung seiner Nachbarn immerzu genoß und schluckte, selber aber keine Hemmungen kannte, nach Belieben bei Tag und Nacht Luft und Haus mit Tönen und Vibrationen erschütterte. Möge der und jener ihn holen, diesen Herrn aus Holland! Dunkel erinnerte ich mich auch des fliegenden Holländers – war nicht auch der ein verfluchter Dämon und Quälgeist gewesen? Namentlich aber erinnerte ich mich jener Holländer, welche einst der Dichter Multatuli gezeichnet hat, jener fetten Genießer und Geldsammler, deren Reichtum und satte Bonhomie die Aussaugung der Malaien zur Basis hatte.

Braver Multatuli!

Freunde von mir, welchen meine Denk- und Fühlweise, mein Glaube und Vorstellungsleben genauer bekannt sind, vermögen sich vorzustellen, wie sehr ich unter diesem unwürdigen Zustand litt, wie sehr dieser zwanghafte, von meinem Herzen nicht gebilligte Haß gegen einen Unschuldigen mich stören und quälen mußte – und zwar nicht wegen der Unschuld meines »Feindes« und wegen des Unrechts, das ich ihm in meinen Gefühlen tat, sondern vor allem wegen der Unsinnigkeit meines Gehabens, wegen des tiefen, prinzipiellen Widerspruchs zwischen meinem praktischen Verhalten und alledem, worin mein Wissen, mein Glaube, meine Religion bestand. Ich glaube nämlich an nichts in der Welt so tief, keine andre Vorstellung ist mir so heilig wie die der Einheit, die Vorstellung, daß das Ganze der Welt eine göttliche Einheit ist und daß alles Leiden, alles Böse nur darin besteht, daß wir einzelne uns nicht mehr als unlösbare Teile des Ganzen empfinden, daß das Ich sich zu wichtig nimmt. Viel Leid hatte ich in meinem Leben erlitten, viel Unrecht getan, viel Dummes und Bitteres mir eingebrockt, aber immer wieder war es mir gelungen, mich zu erlösen, mein Ich zu vergessen und hinzugeben, die Einheit zu fühlen, den Zwiespalt zwischen Innen und Außen, zwischen Ich und Welt als Illusion zu erkennen und mit geschlossenen Augen willig in die Einheit einzugehen. Leicht war es mir nie geworden, niemand konnte weniger Begabung zum Heiligen haben als ich; aber dennoch war mir immer wieder jenes Wunder begegnet, dem die christlichen Theologen den schönen Namen der »Gnade« gegeben haben, jenes göttliche Erlebnis der Versöhnung, des Nichtmehrwiderstrebens, des willigen Einverstandenseins, das ja nichts anderes ist als die christliche Hingabe des Ich oder die indische Erkenntnis der Einheit. Ach, und nun stand ich wieder einmal so völlig außerhalb der Einheit, war ein vereinzeltes, leidendes, hassendes, feindliches Ich. Auch andre waren das, gewiß, ich stand damit nicht allein, es gab eine Menge von Menschen, deren ganzes Leben ein Kampf, ein kriegerisches Sichbehaupten des Ich gegen die Umwelt war, welchen der Gedanke der Einheit, der Liebe, der Harmonie unbekannt war und fremd, töricht und schwächlich erschienen wäre, ja, die ganze praktische Durchschnittsreligion des modernen Menschen bestand in einem Verherrlichen des Ich und seines Kampfes. Aber in diesem Ichgefühl und Kampf sich wohl zu fühlen, war nur den Naiven möglich, den starken, ungebrochenen Naturwesen; den Wissenden, den in Leiden sehend Gewordnen, den in Leiden differenziert Gewordnen war es verboten, in diesem Kampfe ihr Glück zu finden, ihnen war Glück nur denkbar im Hingeben des Ich, im Erleben der Einheit. Ach, wohl jenen Einfältigen, welche sich selber lieben und ihre Feinde hassen konnten, wohl jenen Patrioten, welche nie an sich zu zweifeln brauchten, weil an allem Elend und Unheil ihres Landes niemals sie selbst im geringsten eine Schuld hatten, sondern natürlich die Franzosen oder die Russen oder die Juden, einerlei wer, nur eben immer ein anderer, ein »Feind«! Vielleicht waren diese Menschen, neun Zehntel der Lebenden, wirklich glücklich in ihrer barbarischen Urreligion, vielleicht lebten sie beneidenswert froh und leicht in ihrem Panzer von Dummheit oder von äußerst schlauer Denkfeindschaft – obwohl ja auch dies höchst zweifelhaft war, denn wo war ein gemeinsamer Maßstab für das Glück jener Menschen und das meine, für ihre Leiden und die meinen zu finden?

Es war in einer langen, quälend langen Nacht, daß ich diese Gedanken dachte. Ich lag als Opfer des Holländers, der nebenan hustete, spuckte und auf und nieder lief, heiß und übermüdet im Bett, die Augen von langem Lesen (was wollte ich andres tun?) überanstrengt, und fühlte, daß jetzt diesem Zustand, dieser Qual und Schmach unbedingt ein Ende gemacht werden mußte. Kaum war diese Klarheit, diese Überzeugung oder Entschließung in mir aufgeblitzt, kalthell wie Morgenschein, kaum stand es klar und fest vor meiner Seele: »Dies muß alsbald zu Ende gelitten und zur Lösung gebracht werden«, da tauchten zuerst die üblichen vulgären Phantasien in mir auf, wie sie in Augenblicken besonderer Pein jedem Nervösen wohlbekannt sind. Nur zwei Wege, so schien es, konnten aus dieser jämmerlichen Lage herausführen; einen davon mußte ich wählen: entweder mich umbringen oder mich mit dem Holländer auseinandersetzen, ihn an der Gurgel nehmen und besiegen. (Eben hustete er wieder mit imponierender Energie.) Beide Vorstellungen waren schön und erlösend, wenn auch etwas kindlich. Schön war der Gedanke, sich auf irgendeine der üblichen, öfters erwogenen Arten beiseitezubringen, mit dem typischen kindlichen Selbstmördergefühl: »Es geschieht euch recht, wenn ich mir jetzt die Gurgel durchschneide.« Schön war auch die andre Vorstellung, statt meiner den Holländer zu packen, ihn zu erwürgen oder totzuschießen, als Sieger über seine brutale, undifferenzierte Vitalität übrigzubleiben.

Diese naiven Phantasien vom Auslöschen entweder meiner selbst oder des Feindes waren indessen schon bald erschöpft. Man konnte sich ihnen eine Weile hingeben, sich in Wunschbilder flüchten, welche aber schnell welkten und ihren Zauber verloren, denn nach kurzem Schweifen durch diesen Irrgarten war der Wunsch entkräftet, und ich mußte mir gestehen, daß diese Wünsche lediglich Exaltationen des Augenblicks waren, daß ich ja weder meine noch des Holländers Vernichtung wirklich und ernstlich wünsche. Seine Entfernung hätte vollkommen genügt. Ich suchte nun diese Entfernung in Bilder zu kleiden, ich machte Licht, nahm das Kursbuch aus der Nachttischschublade und unterzog mich der Mühe, einen lückenlosen Reiseplan zusammenzustellen, nach welchem der Holländer morgen in aller Frühe abreisen und so rasch wie möglich seine Heimat erreichen sollte. Diese Beschäftigung machte mir ein wenig Vergnügen, ich sah den Mann in unheimlicher, kühler Morgenfrühe aufstehen, sah und hörte ihn zum letztenmal in Nummer 64 seine Toilette verrichten, die Stiefel anziehen, die Tür zuknallen, sah ihn fröstelnd zum Bahnhof fahren und abreisen, sah ihn morgens um acht Uhr in Basel mit französischen Zöllnern schelten, und je weiter mein Wunschbild ihn fortspediert hatte, desto leichter ward mir. Aber schon in Paris versagte meine Vorstellungskraft, und das ganze Bild ging wieder in Trümmer, lang, ehe ich ich meinen Mann an der holländischen Grenze hatte.

Das waren Spielereien. Auf so einfache, so wohlfeile Art war der Feind, der Feind in mir selbst, nicht zu überwinden. Es galt ja nicht, an dem Holländer irgendeine Rache zu nehmen, es galt lediglich eine wertvolle, positive und meiner würdige Einstellung zu ihm zu gewinnen. Meine Aufgabe war ganz klar: ich hatte meinen wertlosen Haß abzubauen, ich hatte den Holländer zu lieben. Dann mochte er spucken und dröhnen, ich war ihm überlegen, ich war gefeit. Wenn es mir gelang, ihn zu lieben, dann half ihm alle Gesundheit, alle Vitalität nichts mehr, dann war er mein, dann widerstrebte sein Bild nicht mehr dem Gedanken der Einheit. Wohlan denn, das Ziel war würdig, es galt, meine schlaflose Nacht gut anzuwenden!

So einfach die Aufgabe war, so schwer war sie, und ich habe wirklich nahezu jene ganze Nacht dazu gebraucht, sie zu lösen. Ich mußte den Holländer verwandeln, ihn umarbeiten, aus dem Objekt meines Hasses, aus der Quelle meiner Leiden mußte er umgeschaffen, mußte zum Objekt meiner Liebe, meines Interesses, meiner Teilnahme und Brüderlichkeit umgegossen werden. Gelang mir dies nicht, brachte ich in mir die Wärmegrade für diese Umschmelzung nicht auf, dann war ich verloren, dann blieb der Holländer mir im Halse stecken, und ich mußte weitere Tage und Nächte an ihm würgen. Was ich zu tun hatte, war lediglich die Erfüllung jenes wunderbaren Wortes »Liebet eure Feinde«. Ich war längst gewohnt, alle diese so merkwürdig zwingenden Worte des Neuen Testamentes nicht bloß moralisch zu nehmen, nicht als Befehle, als »Du sollst«, sondern als freundliche Andeutungen eines wahrhaft Weisen, der uns zuwinkt: »Probiere es einmal, diesen Spruch buchstäblich zu erfüllen, du wirst dich wundern, wie wohl das dir tun wird.« Ich wußte, daß diese Sprüche nicht bloß das Höchste an moralischer Forderung, sondern auch das Höchste und Klügste an seelenhafter Glückslehre enthielten und daß die ganze Liebestheorie des Neuen Testamentes, neben all ihren anderen Bedeutungen, auch die Bedeutung einer seelischen Technik von größter Durchdachtheit habe. In diesem Falle lag es ja auf der Hand, der jüngste und naivste Psychoanalytiker hätte es nur bestätigen können, daß zwischen mir und meiner Erlösung einzig die noch unerfüllte Forderung stand, meinen Feind zu lieben.

Nun, es gelang, er blieb mir nicht im Halse stecken, er wurde umgeschmolzen. Aber es ging nicht leicht, es kostete Schweiß und Arbeit, es kostete zwei oder drei Nachtstunden heftigster Anspannung. Dann aber war es getan.

Ich machte den Anfang damit, mir die Gestalt des Gefürchteten in möglichst scharfer Deutlichkeit vor die Seele zu zwingen, bis keine Hand und kein Finger an der Hand, bis kein Schuh, keine Augenbraue, keine Wangenfalte mehr fehlte, bis ich ihn ganz und gar vor mir sah, ihn innerlich völlig besaß, ihn gehen, sitzen, lachen und schlafen machen konnte. Ich stellte ihn mir vor, wie er morgens sich die Zähne bürstete und wie er nachts auf dem Kissen einschlief, ich sah das Müdewerden der Augendeckel, sah den Hals sich entspannen und den Kopf weich hinabwelken. Wohl eine Stunde dauerte es, bis ich ihn soweit hatte. Damit war viel gewonnen. Etwas lieben, das bedeutet für den Dichter: es in seine Phantasie aufnehmen, es dort wärmen und hegen, damit spielen, es mit der eigenen Seele durchdringen, mit dem eigenen Atem beleben. So tat ich mit meinem Feinde, bis er mir gehörte und in mich eingegangen war. Ohne seinen etwas zu kurzen Hals wäre es wohl nicht geglückt, aber der Hals kam mir zu Hilfe. Ich mochte den Holländer aus- oder anziehen, ihn in Kniehosen oder Gehrock, in ein Ruderboot oder an einen Mittagstisch setzen, ich mochte ihn zum Soldaten, zum König, zum Bettler, zum Sklaven, zum Greis oder zum Kind machen, in jeder noch so veränderten Gestalt hatte er einen kurzen Hals und ein klein wenig vorstehende Augen. Dies Zeichen war sein schwacher Punkt, hier mußte ich ihn angreifen. Lange brauchte ich, bis es mir gelang, den Holländer jünger zu machen, bis ich ihn als jungen Ehemann, als Bräutigam, als Studenten und Schüler vor mir sehen konnte. Als es mir endlich gelungen war, ihn zum kleinen Knaben zurückzuverwandeln, da gewann der Hals zum erstenmal meine Teilnahme. Auf dem sanften Weg des Mitleids eroberte er mein Herz, als ich diesen kräftigen und energischen Knaben seinen Eltern durch diese leisen Anzeichen einer asthmatischen Anlage Sorge machen sah. Auf dem sanften Wege des Mitleids ging ich weiter, und es gehörte wenig Kunst mehr dazu, auch die künftigen Jahre und Stufen zu produzieren. Als ich soweit war, den ganzen Mann, um zehn Jahre gealtert, seinen ersten Schlaganfall erleiden zu sehen, da sprach plötzlich alles an ihm so rührend mit, die dicklichen Lippen, die schweren Augendeckel, die wenig biegsame Stimme, alles gewann Werbekraft, und noch ehe er in meiner intensiven Vorstellung den imaginären Tod erlitten hatte, war sein Menschliches, seine Schwäche, sein Sterbenmüssen mir schon so brüderlich nahe gekommen, daß ich längst keine Widerstände mehr gegen ihn hatte. Da war ich froh, drückte ihm die Augen vollends zu und schloß meine eigenen, denn es war schon Morgen, und ich hing, von meiner langen nächtlichen Dichtung völlig erschöpft, wie ein Gespenst in den Kissen.

Am folgenden Tage und in der folgenden Nacht hatte ich reichlich Gelegenheit, festzustellen, daß ich Holland besiegt hatte. Der Mensch mochte lachen oder husten, er mochte noch so gesund auftreten, noch so dröhnend einherschreiten, er mochte Stühle rücken oder Witze machen, es brachte mich nichts mehr aus dem Gleichgewicht. Am Tage konnte ich leidlich arbeiten, in der Nacht leidlich ruhen.

Mein Triumph war groß, doch genoß ich ihn nicht lange. Am zweiten Morgen nach der Siegesnacht reiste der Holländer plötzlich ab, womit wieder er zum Sieger wurde, und ließ mich sonderbar enttäuscht zurück, da ich für meine schwer errungene Liebe und Unanfechtbarkeit nun keine Verwendung mehr hatte. Seine Abreise, die ich einst so innig herbeigesehnt hatte, tat mir nun beinahe weh.

An seiner Stelle zog in Nummer 64 eine kleine, graue Dame mit einem jener gummibeschuhten Stöcke ein, die ich nur selten zu sehen oder zu hören bekam. Sie war eine ideale Nachbarin, nie störte sie mich, nie erregte sie Zorn und Feindschaft in mir. Doch kann ich das erst jetzt, nachträglich, anerkennen. Mehrere Tage lang war die neue Nachbarschaft mir eine ständige Enttäuschung, viel lieber hätte ich wieder meinen Holländer da gehabt, ihn, den ich nun endlich hätte lieben können.

Mißmut

Wenn ich heute an den Optimismus meines ersten Badener Tages zurückdenke, an meine damalige kindliche Hoffnungsfreudigkeit, an mein naives Vertrauen in diese Badekur und gar an die schon mehr frivole, selbstgefällige Einbildung und knabenhafte Eitelkeit, mit der ich damals mich als verhältnismäßig jung und rüstig, als einen hoffnungsvollen Leichtkranken einschätzte; wenn ich mich der ganzen spielerisch leichtsinnigen Stimmung jener ersten Tage erinnere, meines primitiven Negerglaubens an Baden, an die Harmlosigkeit und Heilbarkeit meiner Ischias, an die warmen Quellen, an den Badearzt, an die Diathermie und die Quarzlampe: dann kann ich nur schwer dem Drang widerstehen, mich vor den Spiegel zu stellen und mir selber die Zunge herauszustrecken. Mein Gott, wie sind diese Einbildungen geschwunden, wie sind diese Hoffnungen erloschen, was ist übriggeblieben von jenem aufrechten, elastischen, wohlwollend lächelnden Ankömmling, der an seinem Malakkastock spielend und von sich selbst entzückt die Badestraße hinabtanzte! Wie ein richtiger

Affe komme ich mir jetzt vor. Ja, und was ist übriggeblieben von der so optimistischen, glattlackierten, anpassungsbereiten, weltmännischen Philosophie, mit der ich damals spielte und mich zierte wie mit meinem Malakkastock!

Zwar dieser Spazierstock ist noch unverändert. Noch gestern habe ich das Anerbieten des Bademeisters, einen jener verfluchten Gummizapfen über das Ende meines hübschen Stokkes zu stülpen, mit Entrüstung zurückgewiesen. Aber wer weiß, ob ich dies Anerbieten, wenn es morgen wiederholt wird, nicht annehme?

Ich habe scheußliche Schmerzen, und nicht bloß beim Gehen, sondern auch beim Sitzen, so daß ich seit vorgestern fast immer liege. Wenn ich morgens aus meinem Bade steige, so machen die zwei kleinen Steinstufen mir schwere Arbeit, keuchend und schwitzend ziehe ich mich am Geländer empor, habe kaum mehr die Kraft, das Badetuch um mich zu schlagen, und sinke dann für eine Weile im Stuhl zusammen. Das Anziehen der Hausschuhe, des Schlafrockes ist eine verhaßte schwere Pflicht, der Weg bis zum Schwefelbrunnen und später vom Brunnen zum Lift, vom Lift ins Schlafzimmer ist eine scheußlich mühsame, endlose, schmerzhafte Reise. Ich benütze bei dieser Morgenreise alle denkbaren Hilfsmittel, halte mich am Badewärter, am Türpfosten, an jeder Brüstung fest, taste mich den Wänden nach und bewege Beine und Rücken ohne jede ästhetische Rücksicht in jener schwerfällig-traurigen, halb schwimmenden Manier, die ich einstmals (o wie unsäglich lange ist das her!) mit humorvollem Mitleid an jener alten Dame beobachtete, die ich mit einer Seelöwin vergleichen zu müssen meinte. Wenn jemals ein frivoles Witzwort strafend auf des Spötters Haupt zurückfiel, so ist es hier geschehen.

Morgens, wenn ich auf dem Bettrand sitze und mich vor der qualvollen Aufgabe scheue, mich zu meinen Schuhen niederzubücken, oder wenn ich nach dem Bade, todmüde, halbschlummernd auf dem Stuhl in der Badezelle hänge, dann sagt mir die Erinnerung, daß es noch vor kurzem, noch vor wenigen Wochen Morgen gegeben hat, an denen ich, kaum dem Bett entschlüpft, kraftvoll und genau meine Atemübungen vornahm, den Brustkorb dehnte, den Bauch zum Riemen einzog, den gestauten Atem beherrscht und rhythmisch wie aus einer Oboe entströmen ließ. Es muß wahr sein, aber schon kann ich nicht mehr recht daran glauben, daß ich einst mit straffgestreckten Beinen und durchgedrückten Knien auf federnden Zehen zu stehen, daß ich tiefe langsame Kniebeugen und alle jene andern hübschen Turnstücke auszuführen vermochte!

Allerdings hat man mir gleich beim Beginn der Kur gesagt, daß möglicherweise solche Reaktionen eintreten könnten, daß die Bäder sehr ermüden und daß bei manchen Patienten vorerst die Schmerzen sich in der Kur noch steigern. Nun ja, ich hatte dazu genickt. Aber daß diese Ermüdung so jämmerlich, die Zunahme der Schmerzen so heftig und niederdrükkend sein könnte, hatte ich nicht geahnt. Ich bin in acht Tagen ein alter Mann geworden, der in Haus und Garten da und dort auf den Bänken herumsitzt und jedesmal Mühe hat, wieder hochzukommen, der keine Treppen mehr steigt und dem der Liftboy beim Ein- und Aussteigen behilflich sein muß.

Auch von außen her kam allerlei Enttäuschendes. In Zürich, ein paar Meter von hier, sitzen mehrere nahe Freunde von mir, und sie wissen, daß ich krank und hier zur Kur bin, zwei von ihnen haben mir ihren Besuch sogar geradezu versprochen, als ich sie auf der Durchreise besuchte. Gekommen aber ist keiner, und natürlich wird auch keiner kommen; daß ich mich darauf verließ und freute, war wieder eine meiner nicht auszurottenden Infantilitäten. Nein, sie kommen natürlich nicht, ich weiß ja doch, wie viel sie zu tun haben, alle diese armen und geplagten Menschen, und wie spät sie oft ins Bett kommen, nach dem Theater, dem Restaurant, der Einladung; es war dumm von mir, daran nicht zu denken und ganz wie ein kleines Kind ohne weiteres zu erwarten, die Leute würden sich ein Vergnügen daraus machen, mir, einem kranken und langweiligen Menschen, Besuche zu machen. Aber immer setze ich das Ungeheuerste voraus, erwarte das Überschwenglichste; kaum kenne ich jemand und finde ihn sympathisch, so traue ich ihm schon auch das Allerbeste zu, ja, fordere es von ihm und bin entzaubert und betrübt, wenn es nicht stimmt. So ging es mir auch mit der ziemlich hübschen und jungen Dame im Hotel, mit der ich mich einige Male unterhalten habe und die mir recht gut gefiel. Nachdem sie mir als ihre Lieblingsbücher einige schlechte Unterhaltungsromane genannt hatte, war ich zwar einen Moment erschrocken, sagte mir aber alsbald, daß ich, der Fachmann und Kenner in literarischen Dingen, kein Recht habe, auf diesem Gebiet auch bei anderen Urteil und Verständnis vorauszusetzen. Ich schluckte jene Büchertitel, strafte mich selbst und traute weiterhin der Dame das Beste und Edelste zu. Und nun hat sie gestern abend im Salon drüben diesen Mord begangen! Sie, eine angenehme, heitere und sogar hübsche Dame, eine Frau, die in meiner Gegenwart sicher kein Kind prügeln und kein Tier quälen würde, hat in meiner Gegenwart, mit heiterer Stirn und unschuldigen Augen, am Klavier ein liebenswürdiges Menuett aus dem achtzehnten Jahrhundert mit ungeübten, aber kräftigen Händen vergewaltigt und totgeschlagen! Ich war ganz entsetzt und traurig und rot vor Scham, aber es fiel niemandem auf, daß da etwas Schlimmes geschehen war, ich saß mit meinen törichten Gefühlen allein. O wie sehnte ich mich nach meiner Einsamkeit, nach meiner Höhle, die ich nie hätte verlassen sollen, wo es zwar Leiden und Nöte genug gibt, aber keine Klaviere, keine literarischen Gespräche, keine gebildeten Nebenmenschen!

Und die ganze Kur, das ganze Baden ist mir so scheußlich zuwider geworden. Von den Gästen unsres Hotels sind, wie ich weiß, die allermeisten nicht zum erstenmal in Baden, viele besuchen das Bad zum sechsten-, zum zehntenmal, und nach der Wahrscheinlichkeitsrechnung wird es mir gehen wie ihnen, wie allen Stoffwechselkranken, daß nämlich das Leiden von Jahr zu Jahr fataler wird und daß die Hoffnung auf Heilung der bescheideneren Hoffnung weicht, durch solche Kuren wenigstens alljährlich für eine Weile etwas Erleichterung zu finden. Der Arzt zwar bleibt fest bei seinen Versicherungen, aber das ist ja sein Beruf, und daß wir Patienten äußerlich gut aussehen und den Eindruck gedeihlichsten Wohlergehens machen, dafür sorgt materiell das üppige Essen und koloristisch die Quarzlampe, die uns auf das dekorativste bräunt, so daß wir aussehen wie Leute, die soeben blühend vom Hochgebirge zurückkehren.

Dabei verkommt man auch moralisch in dieser faulen und erschlaffenden Badeatmosphäre. Meine paar guten spartanischen Gewohnheiten, die ich mir in Jahren anerzogen, das Atmen und Turnen, das Vorliebnehmen mit magerer Kost, sind mir verlorengegangen, übrigens unter direkter Unterstützung des Arztes; auch meine anfängliche Beobachtungs- und Arbeitslust ist fast ganz verschwunden. Nicht daß es um diese Psychologia Balnearia schade wäre – im Gegenteil, sie war von Anfang an ja nicht ein Opus, kein zielbewußter Gestaltungsversuch, sondern eben eine Beschäftigung, eine kleine tägliche Übung für Auge und Handgelenk. Aber auch darüber wird die Trägheit Herr, ich brauche wenig Tinte mehr. Wäre der Sieg über den Holländer nicht, der mir auch schon unverhältnismäßig schwerfiel, so müßte ich geradezu eine Verluderung und Versumpfung feststellen. Und in manchen Punkten muß ich dies wirklich. Vor allem hat sich meiner eine Trägheit, eine mißgelaunte Faulheit bemächtigt, die mich von allem Guten und Nützlichen abhält, namentlich von jeder noch so geringen körperlichen Anstrengung. Kaum zum kleinsten Spaziergang kann ich mich bringen, nach Tische liege ich, ebenso wie nach den Bädern und Behandlungen, stundenlang auf dem Bett oder im Liegestuhl, und wie es geistig mit mir steht, das werde ich später deutlich ablesen können, wenn ich diese albernen Aufzeichnungen, mit denen ich mich aus einem Rest von Pflichtgefühl noch je und je eine Stunde lang plage, einmal wieder lesen werde. Ich bestehe ganz und gar nur noch aus Trägheit, aus matter Langeweile, fauler Schlafsucht.

Ein noch beschämenderes Bekenntnis bleibt mir nicht erspart. Daß ich nichts arbeiten, nicht denken, kaum lesen mag, daß ich seelisch und leiblich jede Frische und Energie verloren habe, wäre schlimm genug, aber es kommt noch immer ärger. Ich habe angefangen, mich gerade der oberflächlichen und verdummenden, der öden und lasterhaften Seite dieses trägen Kurgastlebens hinzugeben. Ich esse zum Beispiel mittags all die guten fetten Bissen nicht mehr bloß so mit, spaßeshalber und mit innerer Überlegenheit oder mindestens Ironie, wie ich es zu Anfang tat – nein, ich esse, ich fresse, obwohl ich längst nicht mehr weiß, was Hunger ist, diese feinen langen Menus täglich zweimal herunter mit der unbeherrschten dummen Völlerei des gelangweilten Menschen, des fetten, lieblosen Bourgeois, ich trinke zum Abendessen meistens auch etwas Wein, und vor dem Schlafengehen habe ich mir ein Fläschchen Bier angewöhnt, etwas, was ich seit bald zwanzig Jahren nicht mehr getrunken hatte. Ich nahm es anfangs als Schlafmittel, weil es mir empfohlen wurde, trinke es nun aber seit Tagen rein aus Gewohnheit und Völlerei. Es ist nicht zu glauben, wie schnell man das Schlechte und Dumme lernen kann, wie leicht es ist, ein Hund von Faulenzer, ein Schwein von fettem Genießer zu werden!

Aber mein Talent zum Laster hat sich keineswegs mit der Esserei und Trinkerei, mit dem Nichtstun und Herumliegen begnügt. Mit der körperlichen Verwöhnung und Trägheit geht die geistige Hand in Hand. Was ich nie für möglich gehalten hätte, ist eingetreten: ich meide, nicht bloß im Geistigen, alle anstrengenden, rauhen und gefährlichen Wege, sondern suche, auch im Geistigen, träg und fresserhaft gerade jene faden, perversen, idiotisch pompösen und inhaltlosen Vergnügungen auf, die ich von jeher geflohen und verabscheut und wegen deren ich den Bourgeois und Städter im besonderen, unsre Zeit und Zivilisation im allgemeinen zuweilen angeklagt und verachtet habe. Ich habe mich jetzt dem durchschnittlichen Niveau des Kurgastes soweit genähert, daß ich einen Teil jener Vergnügungen nicht mehr verabscheue und fliehe, sondern mitmache und aufsuche. Es wird nicht lange mehr dauern, so werde ich auch noch die Kurliste lesen (von den Unterhaltungen der Patienten ist diese mir die rätselhafteste), werde mich mit Frau Müller nachmittagelang über ihre Rheumatismen unterhalten und über alle die Arten von Tee, die es dagegen gibt, und werde meinen Freunden Ansichtskarten mit Brautpaaren oder mit jenen kühnen Rübenmenschen senden.

Die Kurkonzerte, die ich lange Zeit so sorgfältig gemieden habe, suche ich jetzt häufig auf und sitze ebenso wie alle anderen auf einem Stuhle, höre die Unterhaltungsmusik vorüberrinnen und habe das angenehme Gefühl, es rinne damit hörbar und fühlbar ein Stück Zeit hinweg, ein Stück von der Zeit, von der wir Kurgäste so viel übrig haben. Zuweilen gewinnt und bezaubert mich auch die Musik selbst, der rein sinnliche Reiz der paar gut gespielten Instrumente, wobei vom Charakter und Gehalt der gespielten Stücke nichts in mein Bewußtsein tritt. Seichte Musikstücke, deren bloße Machart und Handschrift mir sonst Ekel erregt hätte, höre ich jetzt ohne Beschwerden bis zum Ende an. Ich sitze eine Viertelstunde, zuweilen eine halbe Stunde lang, müde und in schlechter Haltung, zwischen der Schar anderer gelangweilter Leute, höre wie sie die Zeit hinfließen, mache wie sie ein gelangweiltes Gesicht, kratze mich wie sie zuweilen gedankenlos am Hals oder Nacken, stütze das Kinn auf den Stockgriff oder gähne, und nur in vereinzelten Augenblicken zuckt meine Seele erschreckt und widerstrebend auf wie ein Steppentier, das plötzlich gefangen im Stall erwacht, nickt aber bald wieder ein und schläft und träumt weiter, unterirdisch, ohne mich, denn ich bin von ihr getrennt, seit ich auf diesen Konzertstühlen sitze.

Und erst jetzt, wo ich selber ganz und gar ein Teil der Menge, ein Durchschnittskurgast, ein gelangweilter müder Philister geworden bin, erst jetzt fühle ich, wie lächerlich und frivol es war, wenn ich auf den ersten Seiten dieser Schrift mich als einen normalen Vertreter dieser Welt und Mentalität aufspielte. Ich tat es ironisch, und erst jetzt, wo ich tatsächlich dieser normierten Alltagswelt angehöre, wo ich ohne Seele in einem Saal sitze und Unterhaltungsmusik zu mir nehme, wie man Tee oder Pilsner zu sich nimmt, erst jetzt fühle ich wieder ganz und gar, wie sehr, wie bitter ich diese Welt hasse. Denn jetzt hasse und verachte und verhöhne ich in dieser Welt mich selber, nichts andres mehr. Nein, mit dieser Welt zu paktieren, ihr anzugehören, in ihr Geltung zu haben und mich wohl zu fühlen – ich spüre es in diesem Augenblick mit jeder Faser meines Wesens –, das ist nichts für mich, das ist mir verboten, das ist Sünde gegen alles Gute und Heilige, wovon ich weiß und woran teilzuhaben mein Glück ist. Und nur darum, nur weil ich zur Zeit diese Sünde begehe, weil ich mit dieser Welt paktiert und sie angenommen habe, ist mir jetzt so sterbensschlecht zumute! Und dennoch verharre ich dabei, die Trägheit ist stärker als meine Einsicht, der fette, faule Bauch stärker als die schüchtern klagende Seele.

Zuweilen lasse ich mich jetzt auch von meinen Mitkurgästen in die Unterhaltung ziehen, wir stehen nach Tische ein wenig im Korridor herum und äußern völlig übereinstimmende Meinungen über den Stand der Politik und Währungen, über Wetter und Kur, auch über Lebensphilosophie und Familiensorgen. Daß junge Menschen eben doch eine Autorität über sich brauchen und daß es keinem schadet, wenn er zuzeiten hartes Holz bohren und bittere Brocken schlucken muß, und andres dergleichen mehr, was ich alles von vornherein bereitwillig bejahe, wozu ich, den Bauch voll guten Essens, mein volles Einverständnis äußere. Hie und da zuckt die Seele auf, das Wort im Munde wird mir zu Galle, und ich muß eilig und rücksichtslos davonlaufen und die Einsamkeit suchen (o wie schwer ist sie hier zu finden), aber so im großen und ganzen bin ich auch dieser Sünde gegen den Geist, bin auch der Sünde des dummen, nutzlosen Schwatzens, des faulen, gedankenlosen Jasagens schuldig geworden.

Eine andere Zerstreuung, an die ich mich hier zu gewöhnen beginne, ist der Kinematograph. Mehrere Abende schon habe ich im Kino zugebracht, und wenn ich es das erstemal nur tat, um irgendwo allein zu sein, keine Gespräche anhören zu müssen und dem Bannkreis des Holländers zu entkommen, so ging ich doch das zweitemal schon zum Vergnügen aus Zerstreuungssucht (auch an das Wort »Zerstreuung«, das früher in meinem Sprachschatz fehlte, habe ich mich nun schon gewöhnt!). Ich ging mehrere Male und habe mich, durch die Augenlust am Bilderspiel verführt und abgestumpft, nicht nur das Haarsträubendste und Liebloseste an Kunstersatz und Pseudodramatik, neben einer grauenhaften Musik, widerspruchslos gefallen lassen, sondern habe auch die physisch wie seelisch üble Atmosphäre in jenem Raume ertragen. Ich fange an, alles zu ertragen, alles zu schlucken, auch das Dümmste, auch das Häßlichste. Ich habe stundenlang einen Film abrollen sehen, in dem eine antike Kaiserin samt Theater, Zirkus, Kirche, samt Gladiatoren und Löwen, Heiligen und Eunuchen gezeigt wurde, und habe es ertragen, daß die höchsten Werte und Zeichen, daß Thron und Zepter, Ornat und Heiligenschein, Kreuz und Reichsapfel samt allen möglichen und unmöglichen Fähigkeiten und Zuständen der Seele, daß Menschen und Tiere zu Hunderten zu lächerlichem Zwecke aufgeboten und ins Schaufenster gestellt wurden, daß dieser an sich prachtvolle Aufwand durch einen endlosen, völlig idiotischen Text entwertet, durch eine falsche Dramatik vergiftet und durch ein herz- und kopfloses Publikum (ich gehöre mit dazu) entwürdigt und zum Jahrmarkt verdorben wurde. Es war in manchen Augenblicken scheußlich, ich war oft nahe am Weglaufen, aber Ischiatiker laufen nicht so leicht weg, ich blieb, ich sah den Schmarren bis zu Ende und werde vermutlich morgen oder übermorgen wieder in jenen Saal gehen. Es wäre unrecht, wollte ich leugnen, daß ich auch einige entzükkende Sachen im Kino gesehen habe, namentlich einen liebenswerten französischen Akrobaten und Humoristen, der bessere Einfälle hatte als die meisten Dichter. Was ich anklage, was meinen Ärger und Ekel erregt, das ist nicht das Kino, das bin einzig ich, der Kinobesucher. Wer nötigt mich, dorthin zu gehen, die grausame Musik zu erdulden, die idiotischen Texte zu lesen, das Wiehern der Menge, meiner unschuldigeren Brüder, mit anzuhören? Ich habe in jenem großen Film ein ganzes Dutzend prachtvoller Löwen, die wir zwei Minuten vorher noch lebend gesehen hatten, als starre Leichen über den Sand schleppen sehen und habe die Hälfte der Zuschauer diesen grausig traurigen Anblick mit lautem Gelächter quittieren hören! Ist denn in den hiesigen Thermalbädern etwas enthalten, ein Salz, eine Säure, ein Kalk, etwas, das den Menschen nivelliert, das Hemmungen gegen alles Hohe, Edle, Wertvolle erzeugt und Hemmungen gegen das Niedere und Vulgäre aufhebt? Nun, ich beuge mich und schäme mich, und für später, für die Zeit nach der Rückkehr in meine Steppe, habe ich einige Gelübde getan.

Bin ich nun zu Ende gekommen mit meiner Liste von schlechten Gewohnheiten und neu gelernten Lastern? Nein, ich bin noch nicht am Ende. Ich habe auch das Hasardspiel kennengelernt, ich habe öftere Male mit Vergnügen und Spannung am grünen Tisch gespielt und auch an einer Maschine, der man silberne Frankenstücke durch verschieden kleine Mündungen zu schlucken gibt. Ich kann leider nicht so ganz richtig spielen, weil ich wenig Geld habe, aber das mir Mögliche habe ich doch daran gerückt, und zweimal ist es mir geglückt, wohl eine Stunde lang zu spielen, ohne daß ich am Ende mehr als einen oder zwei Franken verloren hatte. Das eigentliche Spielererlebnis habe ich damit natürlich nicht gehabt, aber ich habe also auch an dieser Blüte gerochen, und ich muß gestehen, daß es mir ein großes Vergnügen gemacht hat. Ich muß auch bekennen, daß ich kein schlechtes Gewissen dabei hatte, wie bei den Konzerten, den Gesprächen mit den Kurgästen und den Kinolöwen, sondern das ein bißchen Verpönte und Antibürgerliche dieses Lasters mundete mir außerordentlich, und ich bedaure aufrichtig, daß ich nicht saftigere Einsätze machen kann.

Die Sensationen des Spieles waren für mich etwa diese: Ich stand erst eine kleine Weile am Rand des grünen Tisches, auf die Zahlenfelder blickend, und lauschte auf die Stimme des Mannes an der Roulette. Die Zahl, welche dieser Mann ausrief, die von dem rollenden Ball erwählte Zahl, welche eine Sekunde vorher noch eine blinde, dumme Zahl unter vielen ihresgleichen gewesen war, strahlte nun warm und hell auf, in der Stimme des Mannes, in dem vom Ball besetzten Loch, in den Ohren und Herzen der Hörer. Quatre, hieß es, oder cinq oder trois, und nicht nur in meinem Ohr und Bewußtsein, nicht nur auf der runden konischen Gleitbahn des Balles strahlte die Zahl auf, sondern auch auf dem grünen Tische. Wenn die Sieben herauskam, so nahm die steife schwarze Ziffer Sieben in dem ihr zugehörigen grünen Felde für Sekunden einen festlichen Schimmer an, sie drängte alle anderen Zahlen ins Wesenlose, denn alle anderen waren ja bloß Möglichkeiten, sie allein war Erfüllung, hatte Wirklichkeit. Das Wirklichwerden des Möglichen, das Daraufwarten und Daranbeteiligtsein, das war die Seele des Spiels. Wenn ich nun einige Minuten zugesehen und zugehört hatte und vom Spiele angesogen zu werden begann, dann kam der erste schöne und hold erregende Moment: es wurde die Sechs ausgerufen, und sie überraschte mich nicht, sie kam so richtig, so selbstverständlich und wirklich heraus, als hätte ich sie bestimmt erwartet, ja, als hätte ich selbst sie gerufen, sie gemacht und erschaffen. Von dieser Sekunde an war meine Seele am Spiel beteiligt, witterte das Schicksal, fühlte sich gut Freund mit dem Zufall, und das ist, muß ich gestehen, ein überaus glücklich machendes Gefühl, es ist der Kern und Magnet der ganzen Spielerei. Also ich hörte die Sieben, dann die Eins, dann die Acht herauskommen, fühlte mich nicht überrascht oder enttäuscht, glaubte gerade diese Zahlen erwartet zu haben, und nun war der Kontakt da, ich war an den Strom angeschlossen und konnte mich ihm überlassen. Ich blickte jetzt fest auf die grüne Ebene, las die Zahlen und wurde von einer von ihnen angezogen, hörte sie leise rufen (manchmal auch zwei zugleich), sah sie mir leise winken und setzte meinen Franken auf diese Zahl. Kam sie nun nicht heraus, so war ich nicht enttäuscht und entzaubert, sondern konnte warten, meine Sechs oder Neun würde schon kommen. Und sie kam, beim zweiten- oder drittenmal, sie kam richtig. Dieser Augenblick des Gewinnens ist wundervoll. Du hast das Schicksal angerufen und dich ihm anheimgestellt, du glaubst in Kontakt mit dem großen Geheimnis zu sein, hast das ahnende Gefühl, mit ihm im Bunde und befreudet zu sein – und siehe, es ist wahr, es bestätigt sich, deine stille, geheime Vorstellung, dein kleines verborgenes Wunschbild strahlt auf, es vollzieht sich das Wunder, aus der Ahnung wird Wirklichkeit, deine Zahl wird von der allmächtigen Glückskugel auserwählt, der Mann am Rad ruft sie laut aus, und der Mann am Tisch wirft dir im Bogen eine Handvoll aufblitzender Silberstücke zu. Das ist außerordentlich hübsch, es ist ein reines Glück, und es hängt nicht vom Gelde ab, denn ich, der ich dies schreibe, habe von allen meinen gewonnenen Franken nicht einen behalten, das Spiel hat alle wieder verschlungen, und dennoch leuchten jene schönen Augenblicke des Gewinnens, jene wunderbar innigen, kindhaft vollen und satten Erfüllungen ungetrübt und köstlich nach, jede war ein voll und prall geschmückter Weihnachtsbaum, jede ein Wunder, jede ein Fest, und zwar ein Fest der Seele, eine Bestätigung und Bejahung und Steigerung des innersten, tiefsten Lebensinstinktes. Gewiß, man kann dieselbe Freude, dasselbe wunderbare Glück auf höheren Ebenen, in edleren und differenzierteren Formen erleben: das Aufleuchten einer tiefen Lebenserkenntnis, der Moment eines inneren Sieges und am meisten der schöpferische Augenblick, der Augenblick des

Findens, des aufblitzenden Einfalls, das triumphierende Ertasten des Treffers bei der Arbeit des Künstlers, all das ist, in höhern Regionen, dem Erlebnis des Spielgewinns ähnlich wie Bild und Spiegelbild. Aber wie selten erlebt auch der Glückliche, auch der Begnadete jene hohen göttlichen Augenblicke, wie selten leuchtet in uns ermüdeten späten Menschen eine Befriedigung, ein sättigendes Glücksgefühl, das an Stärke und Pracht sich mit den Glückserlebnissen der Kindheit vergleichen darf! Diese Erlebnisse sind es, denen der Spieler nachjagt, auch wenn er scheinbar das Geld meint. Diesen Paradiesvogel der Freude, in unsrem glatten faden Leben so selten geworden, sucht er zu erjagen, ihm gilt die lodernde Sehnsucht in seinem Blick.

Hin und her ging dann das Glück, für Momente war ich ganz eins mit ihm, saß selber in der rollenden Kugel, gewann, und ein Gefühl köstlicher Erregung durchrann mich schauernd. Dann war der Höhepunkt überschritten. Ich hatte eine dicke Handvoll gewonnener Münzen in der Hosentasche und setzte nun Mal für Mal weiter, und langsam ließ das Gefühl der Sicherheit nach, es sprang eine Eins, eine Vier heraus, die mich ganz und gar überraschten, mir feindlich waren und mich verhöhnten. Jetzt wurde ich unruhig und ängstlich, setzte auf Zahlen, ohne ein Verhältnis des ahnenden Gefühls zu ihnen zu haben, schwankte lange zwischen gerade und ungerade, setzte aber zwanghaft weiter, bis mein Spielgeld wieder alles verloren war. Und nicht erst nachher, sondern schon gleichzeitig, noch während des Spiels, empfand ich die Tiefe des Gleichnisses, sah im Spiel das Abbild des Lebens, wo es genau ebenso geht, wo unerforschliche, vernunftlose Ahnung uns die stärksten Zauber in die Hand gibt, die größten Kräfte löst, wo beim Erlahmen der guten Instinkte Kritik und Verstand sich einmischen, eine Weile lavieren und Widerstand leisten und schließlich geschieht, was geschehen muß, völlig ohne uns und über unsre Köpfe hinweg. Der erlahmende Spieler, der seinen Höhepunkt überschritten hat und doch nicht aufhören kann, der von keiner Intuition, keinem tiefen Glaubenkönnen mehr geleitet wird, gleicht ganz genau dem Menschen, der in wichtigen Lebensfragen nicht aus und ein sieht und, statt zu warten und die Augen zu schließen, vor lauter Kalkül und Bemühung und Verstandesüberanstrengung sicher das Falsche tut. Und eine der allersichersten Spielregeln am grünen Tisch ist diese: Wenn du einen Mitspieler siehst, der müde wird und Pech hat, der bald auf diese, bald auf jene Nummer mehreremal hintereinander setzt und dann doch wieder abspringt – dann setze jedesmal auf die Zahl, die er bisher vergeblich belagerte und die er nun im Mißmut verlassen hat, sie wird sicher herauskommen.

Seltsam anders als alle anderen Bürger- und Kurbelustigungen ist das Spiel um Geld. Hier am grünen Tisch werden weder Bücher gelesen noch fade Unterhaltungen geführt noch Strümpfe gestrickt wie in den Konzerten und im Kurgarten, es wird weder gegähnt noch am Hals gekratzt, ja, die Rheumatiker sitzen hier nicht einmal, sie stehen, stehen lang und mühsam, heroisch auf ihren eigenen, sonst so geschonten Beinen. Es werden hier im Spielsaal weder Witze gemacht, noch wird von Krankheiten oder von Poincaré gesprochen, es wird auch fast niemals gelacht, sondern ernst und flüsternd steht die zuschauende Menge um den Spieltisch, gedämpft und feierlich klingt die Stimme des Ausrufers, gedämpft und zart klirren auf dem grünen Tisch die Silberstücke aneinander, und schon dies, schon diese Andacht und verhältnismäßige Diskretion und Würde gibt dem Spiel in meinen Augen einen unermeßlichen Vorzug vor jenen anderen Arten von Vergnügungen, bei welchem die Leute so laut, so salopp und unbeherrscht sind. Hier, im Spielsaal, herrscht ernste Festlichkeit und Feiertagsstimmung, leise und etwas befangen wie in einer Kirche treten die Gäste ein, wagen nur zu flüstern, schauen andächtig auf den Herrn im Frack. Und dieser benimmt sich musterhaft, nicht wie eine Person, sondern wie der neutrale Träger eines Amtes, einer Würde.

Ich kann die psychologischen Ursachen dieser Feststimmung und schönen, wohltuenden Feierlichkeit hier nicht untersuchen, denn ich habe ja längst die Fiktion aufgegeben, daß meine Psychologia Balnearia von einer anderen Psyche handle als meiner eigenen. Vermutlich kommt die heilige, flüsternd verehrungsvolle Stimmung voll Würde und Devotion im Spielsaal einfach daher, daß es sich hier nicht um Musik, Dramatik oder andere Kindereien handelt, sondern um das Ernsteste, Geliebteste und Heiligste, was die Menschen kennen, um das Geld. Aber, wie gesagt, ich will dies nicht untersuchen, es liegt außerhalb meines Problems. Ich stelle nur fest, daß, im Gegensatz zu jeder anderen Volksbelustigung hier im Spielsaal eine Stimmung vorherrscht, welche der Ehrfurcht nicht entbehrt. Und während zum Beispiel im Kino das Publikum sich in sprachlichen und auch unartikulierten Äußerungen von Lust und Unlust wenig Zwang antut, fühlt hier sogar der Akteur, der Spieler, selbst im Moment der heftigsten, der bestbegründeten und erlaubtesten Emotionen, nämlich beim Gewinnen und Verlieren von Geld, eine tiefe Verpflichtung, Haltung und Würde zu zeigen. Ich sehe hier dieselben Personen, welche beim täglichen Kartenspiel den Verlust von zwanzig Rappen mit Ausbrüchen der schlechten Laune in Flüchen und Verwünschungen begleiten, das Hundertfache verlieren, ohne – ich darf nicht sagen »mit einer Wimper zu zucken«, denn die Wimpern zucken sehr –, aber ohne laut zu werden und die Umgebung mit unanständigen Äußerungen ihrer Gefühle zu belästigen.

Da weise Regierungen sich um alles bekümmern, was die Volkserziehung zu heben vermag, und alle dazu dienenden Institute fördern und stützen, wage ich hier, obwohl auf diesem Gebiet ein vollkommener Laie, Fachleute auf die Tatsache hinzuweisen, daß von allen Spielen, Unterhaltungen und Belustigungen keine einzige die Teilnehmer so sehr zu Selbstbeherrschung, Ruhe und Anstand erzieht wie das Hasardspiel im öffentlichen Spielsaal.

So sympathisch, ja wohltätig mir also das Spiel erscheint, ich fand immerhin Gelegenheit, auch über seine Schattenseiten nachzudenken, vielmehr sie experimentell zu erleben. Die oft so leidenschaftlich mit moralistischem Pathos vorgetragenen Einwände der Nationalökonomen gegen das Spiel scheinen mir, von meinem Standpunkt aus, alle belanglos. Daß der Spieler in Gefahr gerät, zu leicht Geld zu gewinnen und darum die Heiligkeit der Arbeit verachten zu lernen, daß er andererseits in der Gefahr schwebt, all sein Geld zu verlieren, daß er drittens nach längerem Zuschauen beim Rollen der Spielbälle und Talerstücke sogar den Grundbegriff ökonomisch-bürgerlicher Moral, die unbedingte Hochachtung vor dem Gelde, verlieren kann, ist allerdings alles richtig, doch kann ich alle diese Gefahren nicht ernst nehmen. Mir, dem Psychologen, schiene für sehr viele schwer seelenkranke Menschen der rasche Verlust ihres Vermögens und die Erschütterung ihres Glaubens an die Heiligkeit des Geldes durchaus kein Unglück, sondern die sicherste, ja einzig mögliche Rettung zu bedeuten, und ebenso scheint mir inmitten unsres heutigen Lebens, im Gegensatz zum alleinigen Kultus der Arbeit und des Geldes, der Sinn für das Spiel des Augenblicks, das Offenstehen für den Zufall, das Vertrauen in die Launen des Schicksals etwas durchaus Wünschenswertes, woran wir alle sehr Mangel leiden.

Nein, was nach meiner Meinung der Fehler des Geldspiels ist und es trotz seiner prächtigen Seiten schließlich doch zu einem Laster macht, das ist etwas rein Seelisches. Nach meiner persönlichen, höchst angenehmen Erfahrung gewährt es eine beglückende Anregung, sich täglich zwanzig Minuten der Spannung des Roulettespiels und der so unwirklichen Atmosphäre des Spielsaals auszusetzen. Für eine gelangweilte, leere, müde Seele ist dies ein wahres Labsal, eins der besten, die ich je probierte. Der Fehler ist nur (und diesen Fehler hat das Spiel mit dem ebenfalls so angenehmen Alkohol gemeinsam) – der Fehler ist, daß beim Spiel diese ganze hübsche Anregung von außen kommt und rein mechanisch und materiell ist, so daß die große Gefahr besteht, im Vertrauen auf diese immer wieder wirksame Anregungsmechanik die eigene Übung, die seelische Aktivität zu vernachlässigen und zuletzt einzubüßen. Wenn man, statt durch Denken, durch Träumen, durch Phantasieren oder Meditieren, die Seele bloß mechanisch durch die Roulette in Schwung setzt, so ist das ungefähr dasselbe, wie wenn man für seinen Körper zwar Bad und Masseur in Anspruch nimmt, auf eigene Leistung, auf Sport und Training aber verzichtet. Auch die Anregungsmechanik des Kinematographen, der die eigene künstlerische Leistung des Auges, das Entdecken, Auswählen und Festhalten des Schönen und Interessanten, durch eine rein materielle Augenfütterung ersetzt, beruht auf dem gleichen Schwindel.

Nein, ebenso wie man neben dem Masseur das Turnen braucht, so braucht die Seele, statt oder neben dem Spiel und allen diesen hübschen Anregungen, notwendig die eigene Leistung. Darum ist hundertmal besser als das Glücksspiel jede aktive Übung der Seele: straffe, scharfe Denk- und Gedächtnisübung, Übung im Reproduzieren gesehener Dinge bei geschlossenen Augen, abendliches Rekonstruieren des Tageslaufes, freies Assoziieren und Phantasieren. Ich füge dies bei, ebenfalls für die Freunde des Volkswohls und vielleicht zur Korrektur meines obigen laienhaften Winkes – denn auf diesem Gebiet, dem der rein seelischen Erfahrung und Erziehung, bin ich kein Laie, vielmehr ein alter, fast schon allzu gewiegter Fachmann.

Nun habe ich mich wieder weit vom Thema verirrt, wie es denn überhaupt das Schicksal dieser Aufzeichnungen zu sein scheint, daß sie, unfähig, irgendein Einzelproblem bis zur Lösung auszuarbeiten, mehr assoziativ und zufällig die andringenden Einfälle aneinanderreihen. Aber vielleicht, so nehme ich an, gehört dies eben mit zur Psychologie des Kurgastes.

Ich verließ mein Thema, mein so unerquickliches Thema, zugunsten einer kleinen Lobrede auf das Hasardspiel, welche

Lobrede ich geneigt wäre, noch des weiteren auszuspinnen, denn die Rückkehr zum Thema fällt mir schwer. Allein es muß sein. Kehren wir zum Kurgast Hesse zurück, betrachten wir nochmals diesen bequem gewordenen älteren Herrn mit der unlustigen und müden Haltung und dem hinkenden Gange! Er gefällt uns nicht, der Mann, wir können ihn nicht lieben, wir können ihm nicht aus aufrichtigem Herzen eine lange oder gar eine endlose Fortsetzung seines weder vorbildlichen noch interessanten Lebens wünschen. Wir werden nichts dagegen haben, wenn dieser Herr einst von der Bühne abtritt, auf welcher er schon längst keine erfreuliche Figur mehr macht. Sollte er zum Beispiel eines Morgens im Bade der Müdigkeit erliegen, unter Wasser geraten und unten bleiben, so sähen wir darin keinen Anlaß zum Bedauern.

Wenn wir jedoch über besagten Kurgast uns so wenig interessiert aussprechen, so bezieht sich das einzig auf seine derzeitige Funktion, seinen momentanen Aggregatzustand. Nicht aus dem Auge verlieren dürfen wir die niemals erlöschende Möglichkeit, daß sein Zustand sich ändere, daß sein Wesen auf einen neuen Nenner hin umgerechnet werde. Dies Wunder, oft schon erlebt, bleibt stündlich möglich. Wenn wir den Kurgast Hesse mit Kopfschütteln betrachten und reif zum Untergang finden, so bleibe unvergessen, daß wir an Untergang nicht im Sinne der Vernichtung, nur im Sinne der Verwandlung glauben können, denn Fundament und Nährboden all unsrer Meinungen, also auch unsrer Psychologie, ist der Glaube an Gott, an die Einheit – und die Einheit kann, auf dem Weg der Gnade sowohl wie der Erkenntnis, auch im verzweifeltsten Fall stets wiederhergestellt werden. Es gibt keinen Kranken, der nicht mit einem einzigen Schritt, sei es auch der Schritt durch den Tod, wieder gesund werden und zum Leben eingehen könnte. Es gibt keinen Sünder, der nicht mit einem einzigen Schritt, sei es auch vielleicht durch die Hinrichtung hindurch, wieder unschuldig und göttlich werden könnte. Und es gibt keinen vergrämten, entgleisten und scheinbar entwerteten Menschen, den nicht ein Wink der Gnade im Augenblick erneuern und zum frohen Kinde machen könnte. Dieser mein Glaube, dies mein Wissen möge beim Schreiben sowie beim Lesen dieser Blätter niemals vergessen werden. Und der Verfasser dieser Blätter wüßte in der Tat auch nicht, woher er den Mut, die Berechtigung, die Verwegenheit zu seinen Kritiken und Launen, seinen Pessimismen und Psychologien nehmen sollte, wenn ihnen nicht in seiner Seele beständig das Wissen um die Einheit als ein unzerstörbares Gleichgewicht gegenüberstände. Im Gegenteil: je weiter ich mich auf der einen Seite exponiere und hinauswage, je schonungsloser ich kritisiere, je elastischer ich auf Launen eingehe, desto heller strahlt jenseits, auf der Gegenseite, das Licht der Versöhnung. Wäre dieser unendliche, ständig wogende Ausgleich nicht, woher nähme ich da den Mut, ein einziges Wort zu sagen, ein Urteil zu fällen, Liebe oder Haß zu fühlen und zu äußern, und eine einzige Stunde zu leben?

Besserung

Bald wird meine Kur zu Ende sein. Und, Gott sei Dank, es geht besser, es geht gut. Eine Woche lang war ich ganz verloren und untergesunken, bloß noch krank, bloß noch müde, bloß noch gelangweilt und meiner selbst überdrüssig. Wenig fehlte, so hätte ich mir den Gummifuß an meinen Stock machen lassen. Wenig fehlte, so hätte ich angefangen, die Kurliste zu lesen. Wenig fehlte, so hätte ich der Unterhaltungsmusik nicht mehr bloß eine viertel- oder halbe Stunde zugehört, sondern die ganzen, ein- oder zweistündigen Konzerte zu mir genommen, hätte abends statt einer Flasche Bier zwei getrunken. Wenig fehlte, so hätte ich im Kursaal meine ganze Barschaft verspielt. Auch hatte ich mich ein wenig von meinen Tischnachbarn im Hotel einspinnen lassen, lieben, angenehmen Menschen, vor denen ich Respekt habe und von denen ich viel hätte lernen können, hätte ich nicht den alten Fehler gemacht, dies auf dem Wege des Gesprächs zu versuchen. Und Gespräche mit Menschen, denen man nicht im Innersten verbunden ist, sind nun einmal fast immer so öde und enttäuschend. Dazu kommt, daß Fremde, wenn sie mich ansprechen, leider immer den Fachmann in mir sehen und in ihren Gesprächen irgendwie meinen, auf Literatur und Kunst zu sprechen kommen zu müssen, und natürlich wird dann Blech geschwatzt, und die reizendsten Menschen lernt man von einer Seite kennen, wo sie von den andern elf vom Dutzend nicht zu unterscheiden sind.

Dazu die Schmerzen und schlechtes Wetter, bei dem ich mich täglich neu erkältete (ich begriff jetzt die ewigen Erkältungen meines Holländers), und die furchtbare Kurmüdigkeit – es war eine Reihe von Tagen, deren ich mich nicht rühmen kann. Aber wie das so geht, eines Tages war diese Reihe eben zu Ende. Es kam ein Tag, da war mir alles so entleidet, daß ich vollkommen liegenblieb und nicht einmal mehr zum täglichen Bad zu haben war. Ich streikte, ich blieb einfach liegen, nur einen Tag lang, und vom nächsten Tag an ging es besser. Dieser Tag, an dem die Wende eintrat, ist mir denkwürdig, weil die Wende und Umstellung ganz plötzlich und überraschend kam. Der Mensch wird mit jeder, auch mit der widerwärtigsten Situation fertig, wenn er nur erst will, und so habe auch ich, selbst an den ödesten und deprimiertesten Tagen dieser Kur, mitten in allem Mißmut nie daran gezweifelt, daß ich auch aus diesem Sumpf wieder emporkriechen würde. Das Emporkriechen, das langsame, mühsame Besiegen der Außenwelt, das langsame Suchen und Finden der vernünftigsten Einstellung, das war, wie ich wußte, ein stets gangbarer Weg, es war der sehr gangbare, sehr empfehlenswerte Weg der Vernunft. Von früheren Erlebnissen her kannte ich aber auch den andern Weg, den nicht zu suchenden, nur zu findenden, den des Glücks, der Gnade, des Wunders. Daß das Wunder gerade jetzt mir nahe sei, daß ich aus dem beschämenden Zustand dieser elenden Tage nicht mühsam und staubig auf der Landstraße der Vernunft, des bewußten Trainings, sondern beflügelt auf dem blumigen Weg der Gnade erlöst werden möchte, das hatte ich nicht zu hoffen gewagt.

Am Tage, an dem ich mich wieder aus der Betäubung erhob und zur Fortsetzung der Kur und des Lebens entschloß, war ich zwar etwas ausgeruht, jedoch keineswegs guter Laune. Die Beine schmerzten, der Rücken tat weh, der Nacken war steif, das Aufstehen fiel schwer, schwer der Weg zum Lift und ins Bad, schwer der Weg zurück. Als es endlich Mittag geworden war und ich verdrossen und ohne Appetit zum Speisesaal schlich, nahm ich plötzlich mich selber wahr, war ich plötzlich nicht mehr bloß der Kurgast, der mit schwerfälligem Gebein und freudlosem Gesicht die Hoteltreppen hinunterstieg, sondern war zugleich Zuschauer meiner selbst. Auf irgendeiner der vielen Treppenstufen war es plötzlich da, war ich plötzlich in zwei gespalten, sah mir selber zu, sah diesen appetitlosen Kurgast seine Treppe hinabschleichen, sah ihn die Hand hilfsbedürftig auf die Treppenbrüstung legen, sah ihn am grüßenden Oberkellner vorbei den Speisesaal betreten. Oft schon hatte ich diesen Zustand erlebt, und ich begrüßte es alsbald als ein glückliches Zeichen, daß er mitten in dieser unfruchtbaren und verdrießlichen Epoche plötzlich wieder da war.

Ich setzte mich im hohen hellen Speisesaal an mein einsames rundes Tischlein und sah mir zugleich zu, wie ich mich setzte, wie ich den Stuhl unter mir zurechtrückte und dabei ein wenig auf die Lippen biß, weil es weh tat, wie ich dann mechanisch die Blumenvase in die Finger nahm und mir etwas näher stellte, wie ich langsam und unentschlossen die Serviette aus dem Ringe zog. Da und dort kamen andere Gäste, setzten sich an ihre Tischlein, wie die Zwerge im Schneewittchen, zupften die Serviette aus dem Ring. Der Kurgast Hesse aber war hauptsächlich der Gegenstand meines zuschauenden Ich. Der Kurgast Hesse, mit beherrschtem, aber tief gelangweiltem

Gesicht, schenkte ein wenig Wasser in sein Glas, brach ein Stückchen Brot ab, alles nur zum Zeitvertreib, denn er beabsichtigte weder das Wasser zu trinken noch das Brot zu essen, er löffelte spielend seine Suppe, blickte mit stumpfsinnigem Blick zu den anderen Tischen im großen Saal hinüber, blickte zu den mit Landschaften bemalten Wänden empor, schaute dem Oberkellner zu, wie er rasch durch den Saal lief, und den hübschen Saaltöchtern in schwarzen Kleidchen, mit weißen Schürzen. Von den übrigen Kurgästen saßen einige in Gesellschaft oder in Paaren an etwas größeren Tischen, die meisten aber saßen gleich dem Obigen allein vor ihrem einsamen Teller, mit beherrschtem, aber tief gelangweiltem Gesicht, schenkten langsam etwas Wasser oder Wein in ihre Gläser, zupften am Brot, blickten mit stumpfsinnigem Blick zu den Tischen der andern hinüber, blickten zu den mit Landschaften bemalten Wänden empor, schauten dem eilenden Oberkellner nach und den hübschen Saaltöchtern in schwarzen Kleidchen, in weißen Schürzen. An den Wänden warteten freundlich, dumm und ein wenig verlegen die hübschen Landschaften, und von der Saaldecke herab, Einfälle eines verschollenen Dekorateurs, blickten freundlich und unverlegen vier bemalte Elefantenköpfe, welche mir an früheren Tagen oft Freude gemacht haben, denn ich bin ein Freund und Anbeter der indischen Götter und sah in jedem dieser Köpfe den feinen, klugen, elefantenköpfigen Gott Ganesha, den ich sehr verehre. Und oft, während ich von meinem Tischchen zu den Elefanten hinaufgesehen, hatte ich mich darüber besonnen, woran nun das liege, daß man mir in meiner Kindheit erzählt hatte, der Vorzug des Christentums bestehe hauptsächlich darin, daß es keine Götter und Götzenbilder kenne, und daß ich doch, je älter und klüger ich werde, gerade darin den großen Nachteil dieser Religion sehe, daß sie, außer der wunderbaren katholischen Maria, so gar keine Götter und Götterbilder hat. Ich gäbe viel dafür, wenn zum Beispiel die Apostel, statt etwas langweilige und zu fürchtende Prediger, Götter mit allerlei herrlichen Kräften und Naturzeichen wären, und sehe nur einen schwachen, immerhin willkommenen Ersatz dafür in den Tieren der Evangelisten.

Derjenige nun, welcher mir und den Gästen und dem allem zusah, dem gelangweilt essenden Hesse, den gelangweilt essenden Mitgästen, war nicht der Kurgast und Ischiatiker Hesse, sondern der alte, etwas gesellschaftsfeindliche Eremit und Sonderling Hesse, der alte Wanderer und Poet, der Freund der Schmetterlinge und Eidechsen, der alten Bücher und Religionen, jener Hesse, der sich der Welt entschlossen und kräftig gegenüberstellte und dem es ein tiefes Leid bereitete, wenn er sich von seiner Behörde einen Heimatschein ausstellen lassen oder auch nur den Zettel einer Volkszählung ausfüllen mußte. Dieser alte Hesse, dieses mir in der letzten Zeit etwas fremd gewordene und verlorengegangene Ich, war nun wieder da und schaute uns zu. Es sah, wie der appetitlose Gast Hesse mit lustlos spielender Gabel den schönen Fisch zerstückte und ohne Hunger dennoch Bissen um Bissen in seinen verdrießlichen Mund steckte, es sah, wie er ohne jede Notwendigkeit, ohne jeden Sinn das Wasserglas, das Salzfaß hin und her rückte, die Füße unterm Stuhl bald streckte, bald anzog, wie die andern Gäste dasselbe taten, wie diese gelangweilten Leute vom Oberkellner und von den hübschen jungen Mädchen mit äußerster Sorgfalt bedient und gefüttert wurden, obgleich niemand Hunger hatte, und wie draußen hinter den hohen feierlichen Bogenfenstern des Saales, in einer andern Welt, die Wolken am Himmel hinzogen. Dies alles sah der geheime Zuschauer, und plötzlich erschien diese ganze Veranstaltung ihm ungeheuer seltsam, drollig und komisch oder auch unheimlich, dies bange, starre Wachsfigurenkabinett von Menschen, die nicht recht lebten, dieser langweilige, ohne Appetit essende Hesse, diese langweiligen anderen. Es war unerträglich lächerlich, unerträglich idiotisch, dies Schauspiel voll sinnloser Feierlichkeit, all diese aufgehäufte Menge von Essen, von Porzellan und Glas, von Silber, Wein,

Brot, Dienerschaft, alles für die paar längst satten Gäste, deren Langeweile und Trübsinn weder das Essen noch das Trinken noch der Blick zu den ziehenden Wolken zu heilen vermochte.

Eben hob der Kurgast Hesse sein Wasserglas, nur aus Langeweile, führte es zum Munde, ohne richtig zu trinken, reihte an alle die ratlosen und automatischen Scheinhandlungen dieser Mahlzeit eine neue, da vollzog sich die Vereinigung der beiden Ich, des essenden und des zuschauenden, und plötzlich mußte ich das Glas schnell wegstellen, denn mich erschütterte von innen her eine plötzlich aufgesprungene, ungeheure Lachlust, eine ganz kindische Fröhlichkeit, eine plötzliche Einsicht in die unendliche Lächerlichkeit dieser ganzen Situation. Für einen Augenblick schien mir im Bilde des Saales voll kranker, unlustiger, verwöhnter und träger Leute (wobei ich annahm, es sehe in den Seelen der andern ähnlich aus wie in meiner) unser ganzes zivilisiertes Leben gespiegelt, ein Leben ohne starken Antrieb, zwangsläufig in festgelegten Gleisen rollend, unlustig, ohne Verbindung mit Gott und mit den Wolken am Himmel. Ich dachte einen Augenblick lang an die tausend Speisesäle, in welchen es ebenso aussah, dachte an die hunderttausend Kaffeehäuser mit befleckten Marmortischen und süßer, überwürzter, geil melkender Musik, an die Hotels und Bureaus, an all die Architektur, die Musik, die Gewohnheiten, innerhalb deren unsre Menschheit lebt, und alles schien mir an Bedeutung und Wert ähnlich wie das gelangweilte Spiel meiner müßigen Hand mit der Fischgabel, wie das unbefriedigte öde Hin und Her meiner lieblosen Blicke durch den Saal. Alles zusammen aber, Speisesaal und Welt, Kurgäste und Menschheit, schien mir, einen Augenblick lang, keineswegs entsetzlich und tragisch, sondern bloß ungeheuer lächerlich. Man brauchte ja nur zu lachen, so war der Bann durchstoßen, die Mechanik durchbrochen, so zogen Gott und die Vögel und Wolken durch unsern öden Saal, und wir waren nicht mehr trübe Gäste an der Kurtafel, sondern vergnügte Gäste Gottes an der bunten Tafel der Welt.

Schleunigst setzte ich, wie gesagt, in dieser Sekunde mein Wasserglas weg, von innen her geschüttelt und überflutet von einem großen Gelächter. Es bereitete mir eine große Mühe, dies Gelächter zu bändigen, es nicht explodieren zu lassen. Ach, als Kinder haben wir das so oft erlebt, daß man an irgendeiner Tafel, in irgendeiner Schule oder Kirche sitzt und bis in die Nase und Augen hinauf geladen ist mit mächtiger, wohlbegründeter Lachlust und doch nicht lachen darf und irgendwie damit fertigwerden muß, des Lehrers wegen, der Eltern wegen, der Ordnung und des Gesetzes wegen. Ungern glaubten und gehorchten wir diesen Lehrern, diesen Eltern und waren sehr erstaunt und sind es noch heute, wenn hinter ihren Ordnungen, Religionslehren und Sittenlehren als Autorität jener Jesus stehen sollte, der doch gerade die Kinder seliggesprochen hat. Sollte er wirklich bloß die Musterkinder gemeint haben?

Aber auch diesmal glückt es mir, mich zu beherrschen. Ich bleibe still und fühle nur das Drängen im Hals und den Kitzel in der Nase und suche sehnlich nach irgendeinem kleinen Ventil und Ausweg, einem erlaubten und möglichen Ausweg für das, was mich sonst erstickt. Ob es wohl anginge, den Oberkellner, wenn er wieder vorbeikam, ein wenig ins Bein zu zwicken oder die Saaltöchter mit etwas Wasser aus meinem Glase zu spritzen? Nein, es ging nicht, alles war verboten, es war die alte Geschichte wie vor dreißig Jahren.

Während ich dieses dachte und das Lachen mir zuoberst in der Kehle saß, starrte ich gerade zum Nachbartisch hinüber und ins Gesicht einer mir unbekannten Frau, einer krank aussehenden Dame mit grauem Haar, die einen Krankenstock neben sich an der Wand lehnen hatte und damit beschäftigt war, mit ihrem Serviettenring zu spielen, denn es war gerade eine der Eßpausen, und wir alle wandten die gewohnten Mittel an, diese Zeit auszufüllen. Einer las heftig in einer alten Zeitung; man sah deutlich, daß er sie längst auswendig wußte, dennoch schluckte er, aus Langeweile, wieder und wieder die Nachricht vom Unwohlsein des Herrn Präsidenten und den Bericht über die Tätigkeit einer Studienkommission in Kanada hinunter. Eine alte Jungfer mischte zwei Pülverchen in ihrem Glas, Medizinen, um sie dann nach dem Essen einzunehmen. Sie sah ein wenig aus wie eine von den gefürchteten älteren Damen in den Märchen, welche Zaubermittel zum Schaden andrer und hübscherer Leute mischen. Ein elegant und müde aussehender Herr, wie aus einem Roman von Turgenjew oder Thomas Mann, blickte distinguiert und wehmutvoll auf eine der an die Wand gemalten Landschaften. Am besten gefiel mir noch unsre Riesin, sie saß in untadeliger Haltung und in guter Laune, wie fast immer, vor ihrem leeren Teller und sah weder böse noch langweilig aus. Dagegen jener strenge moralische Herr mit den Falten und dem starken Nakken lastete wie ein ganzes Schwurgericht auf seinem Stuhle und machte ein Gesicht, als habe er soeben seinen eigenen Sohn zum Tode verurteilt, während er doch bloß einen Teller voll Spargeln gegessen hatte. Herr Kesselring, der rosige Page, sah auch heute noch hold und rosig, doch ein wenig gealtert und bestaubt aus, er schien keinen guten Tag zu haben, und das Grübchen auf seiner Kinderwange schien heute ebenso unwahrscheinlich und überflüssig wie das Päckchen pikanter Bilderchen in seiner Brusttasche. Wie seltsam und drollig war das alles! Warum saßen wir alle so da und warteten und grinsten? Warum aßen wir und warteten auf weitere Speisen, da wir doch alle längst nicht mehr hungrig waren? Warum strich Kesselring sein poetisches Haar mit einem winzigen Taschenbürstchen, warum trug er jene dummen Bilder in seiner Tasche, warum war diese Tasche mit Seide gefüttert? Alles war so unbegründet und unwahrscheinlich. Alles reizte so heftig zum Lachen.

Und ich starrte also in das Gesicht der alten Dame. Da ließ sie auf einmal ihren Serviettenring los und blickte mich an, und während wir einander einen Augenblick anstarrten, stieg mir das Lachen ins Gesicht, und ich konnte nicht anders, ich grinste die Frau mit all dem in mir aufgestauten Gelächter auf das freundlichste an, es zog mir den Mund auseinander und lief zu den Augen heraus. Was sie nun über mich dachte, weiß ich nicht, aber sie reagierte prachtvoll. Zuerst senkte sie schnell ihren Blick und nahm eilig ihr Spielzeug wieder in die Hand, aber ihr Gesicht war unruhig geworden, und während ich mit der größten Neugierde zuschaute, verzog es sich mehr und mehr und ließ sich auf die sonderbarsten Grimassen ein. Sie lachte! Sie kämpfte grimassierend und schluckend gegen den Lachtrieb, mit dem ich sie angesteckt hatte! Und so saßen denn wir beide, den Hotelgenossen als gesetzte ältere Leute bekannt, wie die Schulkinder an unseren Plätzen, blickten vor uns hin, schielten eins zum andern, und unsre Gesichter arbeiteten zuckend, um des Lachens Meister zu bleiben. Zwei, drei andere im Saal bemerkten es und fingen an, vergnügt und etwas spöttisch zu lächeln, und, als wäre eine Fensterscheibe zerbrochen und der blauweiße Himmel hereingeflossen, lief für Minuten eine frohe und kitzelnde Stimmung, ein Schmunzeln durch den ganzen Saal, als habe jedermann es nun ebenfalls bemerkt, wie unsäglich blöde und lächerlich wir in unsrer Kurwürde und langweiligen Traurigkeit dagesessen hatten.

Seit jenem Augenblick geht es mir wieder gut, ich bin nicht mehr bloß Kurgast, auf das Kranksein und Kurieren spezialisiert, sondern die Krankheit und Kur ist wieder zur Nebensache geworden. Weh tut es ja immer noch, das ist nicht zu leugnen. Aber so soll es denn in Gottes Namen weh tun; ich überlasse die Krankheit sich selber, ich bin nicht dazu da, ihr den ganzen Tag den Hof zu machen.

Nach Tische sprach mich ein Hotelgast an, ein mir recht unsympathischer Herr mit vielen Meinungen, der mir schon häufig Zeitungen angeboten und Unterhaltungen aufgenötigt hatte; erst kürzlich hatte ich in einem längeren äußerst langweiligen Gespräch über Schulwesen und Erziehung allen seinen bewährten Grundsätzen und Meinungen rückhaltlos und ergebenst zugestimmt. Nun kam er wieder daher, der Typ, aus seinem gewöhnlichen Hinterhalt im Korridor, und stellte sich vor mir auf.

»Guten Tag«, sagte er, »Sie sehen ja heute sehr vergnügt aus!«

»Gewiß, ich bin sehr vergnügt. Ich habe während des Mittagessens einige Wolken am Himmel ziehen sehen, und da ich bisher der Meinung gewesen war, diese Wolken seien bloß aus Papier und gehörten zur Saaldekoration, war ich nun sehr froh über die Entdeckung, daß es richtige und wirkliche Luft und Wolken waren. Sie sind vor meinen Augen davongeflogen, sie waren nicht numeriert und an keiner hing ein Zettel mit dem Verkaufspreis. Sie können sich denken, wie froh ich darüber bin. Die Wirklichkeit existiert noch, mitten in Baden! Es ist wunderbar!«

O wie wenig schön war das Gesicht, das der Herr zu meinen Worten machte!

»So, so«, sagte er so gedehnt, daß er eine Minute dazu brauchte. »Also Sie haben geglaubt, es gebe keine Wirklichkeit mehr! Ja, wenn ich fragen darf, was verstehen Sie denn unter Wirklichkeit?«

»Oh«, sagte ich, »das ist philosophisch eine komplizierte Frage. Aber praktisch kann ich sie ganz leicht beantworten. Unter Wirklichkeit, mein Herr, verstehe ich ziemlich genau dasselbe, was man sonst auch ›Natur‹ nennt. Jedenfalls verstehe ich unter Wirklichkeit nicht das, was uns hier in Baden beständig umgibt; nicht Kur- und Krankengeschichten, nicht diese Rheumatismusromane und Gichtdramen, nicht Promenade und Kurkonzerte, Menus und Programme, nicht Bademeister und Kurgäste.«

»Wie, also auch die Kurgäste sind für Sie keine Wirklichkeit? Also zum Beispiel ich, der Mann, der mit ihnen redet, soll keine Wirklichkeit sein?!«

»Es tut mir leid, ich möchte Sie gewiß nicht verletzen, aber in der Tat sind Sie für mich ohne Wirklichkeit. Sie sind, so wie

Sie sich mir darstellen, ohne jene überzeugenden Züge, die uns das Wahrgenommene zum Erlebten, das Geschehen zur Wirklichkeit machen. Sie existieren, mein Herr, dies kann ich nicht bestreiten. Sie existieren aber auf einer Ebene, welche einer zeitlich-räumlichen Wirklichkeit in meinen Augen ermangelt. Sie existieren, möchte ich sagen, auf einer Ebene des Papieres, des Geldes und Kredits, der Moral, der Gesetze, des Geistes, der Achtbarkeit, Sie sind ein Raum- und Zeitgenosse der Tugend, des kategorischen Imperativs und der Vernunft und vielleicht sind Sie sogar mit dem Ding an sich oder mit dem Kapitalismus verwandt. Aber Sie haben nicht die Wirklichkeit, die mich bei jedem Stein oder Baum, bei jeder Kröte, bei jedem Vogel unmittelbar überzeugt. Ich kann Sie, mein Herr, bis ins Unermessene billigen, achten, ich kann Sie anzweifeln oder gelten lassen, aber es ist mir unmöglich, Sie zu erleben, es ist mir völlig unmöglich, Sie zu lieben. Sie teilen dies Schicksal mit Ihren Verwandten und werten Angehörigen, mit der Tugend, der Vernunft, dem kategorischen Imperativ und mit allen Idealen der Menschheit. Ihr seid großartig. Wir sind stolz auf euch. Aber wirklich seid ihr nicht.«

Der Herr riß seine Augen auf.

»Wenn Sie nun aber zufällig meine Handfläche auf Ihrem Gesicht spüren sollten, wären Sie dann von meiner Wirklichkeit überzeugt?«

»Sollten Sie dies Experiment ausführen, so wäre es erstens Ihr Schade, denn ich bin kräftiger als Sie und bin im Augenblick wunderbar frei von allen moralischen Hemmungen; aber außerdem würden Sie auch durch den so freundlich angebotnen Beweis Ihr Ziel nicht erreichen. Ich würde auf Ihr Experiment zwar mit jenem ganzen, so wundervoll spielenden Apparat der Selbsterhaltung reagieren, aber Ihr Angriff würde mich nicht von Ihrer Wirklichkeit, von der Existenz einer Person und Seele bei Ihnen überzeugen. Wenn ich den Zwischenraum zwischen zwei elektrischen Polen mit meinem Arm oder Bein ausfülle, so setze ich mich ebenfalls einer Entladung aus, ohne daß ich deshalb den elektrischen Strom für eine Persönlichkeit, für ein Wesen von meiner Art halten würde.«

»Sie sind eine Künstlernatur, nun ja, der mag manches erlaubt sein. Es scheint, daß Sie den Geist, das begriffliche Denken, hassen und befehden. Meinetwegen, mögen Sie das tun. Aber wie stimmt das, Sie Dichter, mit so vielen Ihrer eigenen Äußerungen? Ich kenne Sätze, Artikel, Bücher von Ihnen, in denen Sie durchaus das Gegenteil predigen und sich zu Vernunft und Geist bekennen, statt zur vernunftlosen und zufälligen Natur, wo Sie für Ideen eintreten und das Geistige als oberstes Prinzip anerkennen. Wie steht es nun damit, he?«

»So, tue ich das? Ja, das mag schon sein. Ich habe das Unglück, sehen Sie, daß ich mir selber stets widerspreche. Die Wirklichkeit tut das immer, bloß der Geist tut es nicht und die Tugend nicht und Sie nicht, sehr wenig geehrter Herr. Zum Beispiel nach einem scharfen Marsch im Sommer kann ich vom Verlangen nach einem Becher voll Wasser völlig besessen sein und Wasser für das wunderbarste Ding in der Welt erklären. Eine Viertelstunde später, wenn ich getrunken habe, ist nichts auf Erden mir so uninteressant wie Wasser und Trinken. Ebenso halte ich es mit dem Essen, mit dem Schlafen, mit dem Denken. Mein Verhältnis zum sogenannten ›Geist‹ zum Beispiel ist genau dasselbe wie das zum Essen oder Trinken. Manchmal gibt es nichts in der Welt, was mich so heftig anzieht und mir so unentbehrlich scheint wie der Geist, wie die Möglichkeit der Abstraktion, der Logik, der Idee. Dann wieder, wenn ich davon satt bin und das Gegenteil brauche und begehre, ekelt aller Geist mich an wie verdorbenes Essen. Ich weiß aus Erfahrung, daß dies Verhalten für willkürlich und charakterlos, ja, für unerlaubt gilt, doch habe ich nie verstehen können, warum? Denn ebenso wie ich zwischen Essen und Fasten, Schlafen und Wachen beständig abwechseln muß, muß ich auch zwischen Natürlichkeit und Geistigkeit, zwischen Erfahrung und Platonismus, zwischen Ordnung und Revolution, zwischen Katholizismus und Reformationsgeist beständig hin und her pendeln. Daß ein Mensch sein Leben lang immer und immer den Geist verehren und die Natur verachten kann, immer Revolutionär und niemals Konservativer sein kann oder umgekehrt, das scheint mir zwar sehr tugendhaft, charaktervoll und standhaft, aber es scheint mir auch ebenso fatal, widerlich und verrückt, als wenn einer immerdar essen oder immerdar nur schlafen wollte. Und doch beruhen alle Parteien, politische und geistige, religiöse und wissenschaftliche, auf der Voraussetzung, ein so verrücktes Verhalten sei möglich, sei natürlich! Auch Sie, Herr, finden es nicht richtig, daß ich zu einer Stunde heftig in den Geist verliebt bin und ihm das Unmögliche zutraue, zu einer andern Stunde aber den Geist hasse und ausspeie und statt seiner Unschuld und Fülle der Natur aufsuche! Warum denn? Warum finden Sie das Natürliche charakterlos, das Gesunde und Selbstverständliche unerlaubt? Wenn Sie mir das erklären können, dann will ich mich gerne mündlich und schriftlich in allen Punkten als geschlagen bekennen. Ich werde Ihnen dann so viel Realität zugestehen, als mir nur irgend möglich ist, einen ganzen Heiligenschein von Wirklichkeit werde ich Ihnen verleihen. – Aber sehen Sie, Sie können es eben nicht erklären! Sie stehen da, und unter Ihrer Weste ist wohl ein gegessenes Menu, aber kein Herz, und in Ihrer täuschend nachgeahmten Hirnschale ist wohl Geist, aber keine Natur. Ich habe nie etwas so lächerlich Unwirkliches gesehen wie Sie, Sie Rheumatiker, Sie Kurgast! Das Papier schimmert Ihnen ja durch die Knopflöcher, der Geist rinnt Ihnen ja aus den Nähten, Mensch, innen ist ja nichts als Zeitung und Steuerzettel, Kant und Marx, Plato und Zinstabelle. Wenn ich blase, sind Sie weg! Wenn ich an meine Geliebte denke oder auch nur an eine kleine gelbe Schlüsselblume, so genügt das, um Sie völlig aus der Realität hinwegzudrücken! Sie sind kein Gegenstand, Sie sind kein Mensch, Sie sind eine Idee, eine öde Abstraktion.«

Und in der Tat, als ich, etwas heftig geworden, aber bei bester Laune, den Arm mit der geballten Faust ausstreckte, um der Figur ihre Irrealität zu beweisen, da fuhr die Faust durch ihn hindurch, und weg war er. Erst jetzt bemerkte ich, stehenbleibend, daß ich ohne Hut das Haus verlassen und das einsame Flußufer aufgesucht hatte; allein stand ich unter den schönen Bäumen, und das Wasser zog und rauschte. Und wieder einmal war ich leidenschaftlich dem Gegenpol des Geistes zugetan, war innig und trunken verliebt in die dumme gesetzlose Welt des Zufalls, in das Spiel der Sonnen- und Schattenflecke am hellrosigen Boden, in die vielen Melodien des strömenden Wassers. Ach, diese Melodien kannte ich! Ich erinnerte mich eines Flusses, an dessen Ufer ich einst in Indien gesessen war, als Kamerad eines alten Fährmanns, sein Name fiel mir nicht mehr ein, vor tausend Jahren, berauscht vom Gedanken der Einheit, nicht minder berauscht vom Spiel der Mannigfaltigkeit und des Zufalls. Ich dachte an meine Geliebte, an das Stück ihrer Ohrmuschel, das zwischen ihren Haaren hervorschaut, und war von Herzen bereit, alle Altäre, welche ich jemals der Vernunft und der Idee errichtete, zu verleugnen und einzureißen und einen neuen Altar zu bauen, jener halb sichtbaren, geheimnisvollen Ohrmuschel zu Ehren. Daß die Welt eine Einheit und dennoch voller Vielfalt ist, daß Schönheit nur im Vergänglichen möglich, daß Gnade nur dem Sünder erlebbar ist, für diese und hundert andere tiefe und ewige Wahrheiten konnte ebensogut jene holde Ohrmuschel Symbol und heiliges Zeichen sein wie irgendeine Isis, ein Vishnu oder eine Lotosblume.

Wie rauschte unter mir im steinigen Bette der Fluß, wie sang das Mittagslicht an den gefleckten Platanenstämmen auf und nieder! Wie schön war es zu leben! Vergessen und verweht war jene tolle Lachlust vom Speisesaal, Tränen standen mir in den Augen, tiefe Mahnung rief mir aus dem Rauschen des heiligen Flusses, mein Herz war voll Friede und Dankbarkeit. Jetzt erst wurde, indem ich unter den Bäumen lange hin und wider ging, der Abgrund von Verdrossenheit, Verirrung, Leid und Torheit mir sichtbar, in dem ich diese letzte Zeit erlebt hatte! Mein Gott, wie kläglich sah es mit mir aus, wie wenig brauchte es, um mich zu einem ekelhaften feigen Kerl zu machen! Ein wenig Krankheit und Schmerzen, ein paar Wochen Kurleben, eine Periode von Schlaflosigkeit, und schon versank ich bis zum Hals in schlechte Laune und Verzweiflung. Ich, der die Stimme indischer Götter gehört hatte! Wie gut, daß diese böse Bezauberung endlich durchbrochen war, daß wieder Luft, Sonnenlicht und Wirklichkeit mich umgab, daß ich wieder göttliche Stimmen vernahm, wieder Andacht und Liebe im Herzen fühlte!

Aufmerksam durchlief ich im Gedächtnis diese schmählichen Tage, betrübt und verwundert, traurig und auch lachend über alle die Torheiten, die mich eingesponnen hatten. Nein, nun brauchte ich den Kursaal nicht mehr zu besuchen, auch den so würdevollen Spielsaal nicht, jetzt war ich nicht mehr in Verlegenheit, wie ich meine Zeit herumbringen solle. Der Zauber war gelöst.

Und wenn ich heute, wenige Tage vor dem Ende meiner Kur, darüber nachdenke, wie das so kommen konnte, wenn ich die Ursache meines Niedergangs und all dieser beschämenden Erlebnisse suche, dann brauche ich nur irgendeine Seite dieser Notizen zu lesen, um die Ursache deutlich zu sehen. Nicht meine Phantastik und Träumerei, nicht mein Mangel an Moralität und Bürgerlichkeit war daran schuld, sondern genau das Gegenteil. Ich war gerade allzu moralisch, allzu vernünftig, allzu bürgerlich gewesen! Ein alter, ewiger Fehler, den ich hundertmal begangen und bitter bereut habe, ist mir auch diesmal wieder passiert. Ich wollte mich einer Norm anpassen, ich wollte Forderungen erfüllen, die gar niemand an mich stellte, ich wollte etwas sein oder spielen, was ich gar nicht war. Und so war es mir wieder einmal geschehen, daß ich mich selbst und das ganze Leben vergewaltigt hatte.

Ich hatte etwas sein wollen, was ich nicht war. Wie denn? Ich hatte aus meiner Ischias eine Spezialität gemacht, hatte die Rolle des Ischiatikers, des Kurgastes, des der bürgerlichen

Umgebung sich anpassenden Hotelgastes gespielt, statt einfach zu bleiben der ich war. Ich hatte Baden, hatte die Kur, hatte meine Umgebung, hatte meine Gliederschmerzen viel zu wichtig genommen, ich hatte mir in den Kopf gesetzt, durch Abbüßung dieser Kur gesund werden zu müssen. Auf dem Weg der Buße, der Strafe, der Werkheiligkeit, durch Bad und Waschung, Arzt und Brahmanenzauber hatte ich erreichen wollen, was nur auf dem Weg der Gnade erreicht werden kann.

Immer ist es mir so ergangen. Auch diese famose Badepsychologie, die ich mir da im warmen Wasser ausgebrütet habe, ist so ein Streich, ist ein Versuch, das Leben gedanklich zu vergewaltigen, und mußte mißlingen und sich rächen. Weder bin ich, wie ich mir eine Weile einbildete, der Vertreter einer besonderen Ischiatiker-Philosophie, noch gibt es überhaupt eine solche Philosophie. Es gibt auch die Weisheit der Fünfzigjährigen nicht, von der ich in der Vorrede phantasiert habe. Es mag ja sein, daß mein heutiges Denken ein wenig anders ist als vor zwanzig Jahren, aber mein Fühlen und Sein, mein Wünschen und Hoffen ist nicht anders, ist weder klüger noch dümmer geworden. Heut wie damals kann ich bald ein Kind, bald ein alter Mann sein, bald zwei Jahre alt, bald tausend. Und meine Versuche, mich der normierten Welt anzupassen, den Fünfzigjährigen und Ischiatiker zu spielen, bleiben ebenso ergebnislos wie mein Versuch, mich mit Ischias und Baden durch das Mittel meiner Psychologie zu versöhnen.

Es gibt zwei Wege zur Erlösung: den Weg der Gerechtigkeit, für die Gerechten, und den Weg der Gnade, für die Sünder. Ich, der ich ein Sünder bin, habe wieder den Fehler begangen, es mit der Gerechtigkeit zu versuchen. Nie wird sie mir gelingen. Und sie, süße Milch für den Gerechten, ist für uns Sünder Gift, sie macht uns böse. Es ist mein Schicksal, daß ich diese Versuche, diese Fehlgänge wieder und wieder machen muß, wie es auch im Geistigen mein Schicksal ist, daß ich, der ich ein Dichter bin, stets von neuem den Versuch unternehmen muß, die Welt, statt mit der Kunst, mit dem Denken zu bewältigen. Immer wieder tue ich diese weiten und mühsamen, einsamen Gänge, versuche es inständig mit der Vernunft, und immer endet es mit einem Zustand von Leid und Verirrtsein. Aber immer wieder folgt diesem Tod auch die Neugeburt, immer wieder rührt Gnade mich an, und das Leid und Verirrtsein ist nicht mehr schlimm, die Fehlgänge sind gut gewesen, die Niederlagen sind köstlich gewesen, denn sie haben mich zurück ans Herz der Mutter geworfen, haben mir von neuem das Erlebnis der Gnade ermöglicht.

Und so will ich aufhören, auf mich selbst los zu moralisieren, ich will die Vernunft- und Psychologieversuche, will die Kurversuche, will die Niederlagen und Verzweiflungen nicht schelten, nicht bereuen, will mich nicht mehr anklagen. Es ist ja alles gut geworden. Ich höre ja die Stimme Gottes wieder, es ist ja alles gut.

Wenn ich mich heut in meinem Zimmer Nummer 65 umsehe, dann geht es mir komisch, nämlich ich empfinde im Gedanken an den baldigen Abschied für dies Zimmer ein Heimatgefühl, der Abschied tut mir schon im voraus ein wenig weh. Wie oft habe ich hier am kleinen Tisch meine Blätter vollgeschrieben, manchmal voll Freude und im Gefühl, ich tue da etwas Wertvolles, manchmal voll Mißmut und Unglauben und doch der Arbeit hingegeben, dem Versuch des Verstehens und Erklärens oder wenigstens des aufrichtigen Bekennens! Wie oft habe ich in diesem Lehnstuhl im Jean Paul gelesen! Wieviel halbe und ganze Nächte lag ich schlaflos in diesem Alkovenbett, in mich selbst versenkt, mit mir hadernd, mich rechtfertigend, mich selbst und meine Leiden als ein Gleichnis, als ein Rätselbild empfindend, dessen Deutung und Lösung einmal glücken müsse! Wieviel Briefe habe ich hier empfangen und geschrieben, Briefe von Unbekannten und an Unbekannte, denen mein in Büchern gespiegeltes Wesen verwandt erscheint, die in Frage und Bekenntnis, in Anklage und Beichte bei dem ihnen verwandt Scheinenden dasselbe suchen, was auch ich in meinen Geständnissen und Dichtungen suche: Klarheit, Trost, Rechtfertigung und neue Freude, neue Unschuld, neue Liebe zum Leben! Wieviel Gedanken, wieviel Launen, wieviel Träume haben mich hier in diesem kleinen Raum besucht! Hier habe ich am trüben müden Morgen mich zum Bade aufgerafft und in den schmerzenden und steifen Gliedern den Tod vorausgefühlt, die bange Schrift der Vergänglichkeit gelesen; hier habe ich an manchem guten Abend meine Phantasien gesponnen oder mit dem Holländer gekämpft. Hier habe ich, an jenem glücklichen Tage, damals meiner Geliebten die Vorrede der Psychologie vorgelesen und sah ihre Freude über die kleine Ehrung für Jean Paul, den auch sie so sehr liebt. Und schließlich ist doch die ganze Badener Zeit, diese Kur, diese Krisis, dieses Verlieren und Wiederfinden des Gleichgewichts für mich eine wichtige Epoche gewesen.

Und wie schade ist es, daß ich das Liebes- und Heimatgefühl für dies kleine Hotelzimmer nicht schon vor drei oder vier Wochen gelernt habe! Aber lassen wir es nun sein, wie es eben ist. Genug, daß ich dies Zimmer und Hotel, den Holländer, die Kur wenigstens heute annehmen, lieben und mir zu eigen machen kann. Ich sehe jetzt, da meine Badener Tage zu Ende gehen, daß es hier in Baden sehr hübsch ist. Ich glaube, ich könnte monatelang hier leben. Ich müßte es eigentlich tun, schon um vieles wiedergutzumachen, was ich hier gesündigt habe, an mir selbst, an der Vernunft, am Kurbetrieb, an meinen Zimmer- und Tischnachbarn. Habe ich nicht, an einigen ganz pessimistischen Tagen, sogar am Doktor gezweifelt, an der Aufrichtigkeit seiner Versicherungen, am Wert der Hoffnungen, die er mir machte? Nein, vieles wäre da gutzumachen. Und was zum Beispiel berechtigte mich, Anstoß an der geheimen Bildergalerie des Herrn Kesselring zu nehmen? War ich denn ein Sittenrichter? Hatte ich denn nicht selber meine Liebhabereien, die auch nicht jeder billigen würde? Und warum sah ich in jenem moralischen Herrn mit den Falten bloß den Bürger, den Egoisten und anmaßenden Richter über andere? Ich hätte ebensogut einen Römer, einen monumental stilisierten tragischen Helden aus ihm machen können, untergehend an der eigenen Härte, leidend an der eigenen Gerechtigkeit. Und so weiter; tausend Versäumnisse wären wiedergutzumachen, tausend Sünden und Lieblosigkeiten zu büßen – wenn ich nicht eben erst den Bußweg verlassen und mich der Gnade anheimgegeben hätte. Lassen wir also die Sünden Sünden sein und seien wir froh, wenn es uns glückt, eine Weile keine neuen anzuhäufen!

Indem ich mich nochmals über den Abgrund der vergangenen bösen Tage beuge, sehe ich in der Tiefe, fern und klein, ein gespenstisches Bild gespiegelt: den Kurgast Hesse, bleich und öde mit degoutiertem Gesicht vor seinen Mahlzeiten sitzend, ein armer Kerl ohne Witz und Phantasie, grau vor Unausgeschlafenheit, ein liebloser kranker Mensch, der seine Ischias nicht besitzt, sondern von ihr besessen wird. Schaudernd wende ich mich hinweg, froh, daß dieser arme Kerl nun gestorben ist und mir nicht mehr begegnen kann. Er ruhe in Frieden!

Wenn man die Sprüche des Neuen Testaments nicht als Gebote nimmt, sondern als Äußerungen, eines ungewöhnlich tiefen Wissens um die Geheimnisse unsrer Seele, dann ist das weiseste Wort, das je gesprochen wurde, der kurze Inbegriff aller Lebenskunst und Glückslehre, jenes Wort »Liebe deinen Nächsten wie dich selbst«, das übrigens auch schon im Alten Testamente steht. Man kann den Nächsten weniger lieben als sich selbst – dann ist man der Egoist, der Raffer, der Kapitalist, der Bourgeois, und man kann zwar Geld und Macht sammeln, aber kein recht frohes Herz haben, und die feinsten und schmackhaftesten Freuden der Seele sind einem verschlossen. Oder man kann den Nächsten mehr lieben als sich selbst – dann ist man ein armer Teufel, voll von Minderwertigkeitsgefühlen, voll Verlangen, alles zu lieben, und doch voll Ranküne und Plagerei gegen sich selber, und lebt in einer

Hölle, die man sich täglich selber heizt. Dagegen das Gleichgewicht der Liebe, das Liebenkönnen, ohne hier oder dort schuldig zu bleiben, diese Liebe zu sich selbst, die noch niemandem gestohlen ist, diese Liebe zum andern, die das eigne Ich doch nicht verkürzt und vergewaltigt! Das Geheimnis alles Glücks, aller Seligkeit ist in diesem Wort enthalten. Und wenn man will, so kann man es auch nach der indischen Seite hin drehen und ihm die Bedeutung geben: Liebe den Nächsten, denn er ist du selbst!, eine christliche Übersetzung des »tat twam asi«. Ach, alle Weisheit ist so einfach, ist schon so lange, schon so genau und unzweifelhaft ausgesprochen und formuliert worden! Warum gehört sie uns nur zuzeiten, nur an den guten Tagen, warum nicht immer?

Rückblick

Dieses letzte Blatt schreibe ich nicht mehr in Baden. Ich bin nicht mehr dort, ich bin – den Kopf schon voll neuer Versuche und Pläne – wieder in meiner Steppe draußen, wieder in meiner Einsamkeit und Klause. Der Kurgast Hesse ist Gott sei Dank gestorben und geht uns nichts mehr an. Statt seiner ist nun wieder ein ganz anderer Hesse da, zwar ebenfalls ein Mann mit Ischias, aber er hat sie, nicht sie ihn.

Als ich Baden verließ, fiel mir in der Tat der Abschied etwas schwer. Ich hatte zu allerlei Dingen und Menschen eine Liebe gefaßt, die ich jetzt losreißen mußte, zu meinem Zimmer, zu meinem Wirt, zu den Bäumen am Flußufer, zum Arzt, der sich in der Abschiedsaudienz nochmals auf das schönste bewährte, zu den Mardern, zu den freundlichen hübschen Saaltöchtern Rösli, Trudi und den andern, zum Spielsaal, zu den Gesichtern und Figuren mancher Leidensbrüder. Lebe wohl, freundliche, stets gutgelaunte, stets bereitwillige Helferin am Diathermie-Apparat! Lebe wohl, Riesin aus Holland, und auch du, blondlockiger Held Kesselring!

Sehr hübsch war der Abschied vom Wirt des »Heiligenhofes«. Lächelnd hörte er meinen Dank, meine Lobsprüche auf sein Haus an, dann fragte er, wie der Doktor mit mir und meiner Kur zufrieden sei, und als ich ihm erzählte, der Arzt habe mich sehr gelobt und ich habe Aussicht auf vollkommene Heilung, so daß ich also Baden jetzt ruhig verlassen könne, da steigerte sich das Lächeln meines Gastfreundes zu behaglicher Schelmerei, freundlich legte er mir eine Hand auf die Schulter und sagte: »Ja, reisen Sie recht vergnügt! Ich gratuliere. Aber schauen Sie, ich weiß etwas, was Sie vielleicht nicht wissen: Sie werden wiederkommen!«

»Ich werde wiederkommen? Nach Baden?« fragte ich.

Er lachte hell.

»Jawohl. Alle kommen sie wieder, geheilt oder ungeheilt, noch jeder ist wiedergekommen. Das nächstemal sind Sie dann schon Stammgast.«

Ich habe dies Abschiedswort nicht vergessen. Vermutlich hat er recht. Vermutlich werde ich wiederkommen, einmal, vielleicht viele Male. Aber ich werde nie derselbe sein, der ich diesmal war. Ich werde wieder baden, werde wieder elektrisiert, wieder gut gefüttert werden, vielleicht auch wieder Depressionen haben und mißmutig werden und trinken oder spielen, aber doch wird alles ganz anders sein, ebenso wie meine Heimkehr in die Wildnis diesmal wieder eine andre war als jede frühere. Im einzelnen wird alles das gleiche sein, alles sehr ähnlich, im ganzen aber wird es neu und anders sein, andre Sterne werden drüber stehen. Denn das Leben ist keine Rechnung und keine mathematische Figur, sondern ein Wunder. So war es mein ganzes Leben lang: alles kam wieder, die gleichen Nöte, die gleichen Gelüste und Freuden, die gleichen Verlockungen, immer wieder stieß ich mir den Kopf an dieselben Kanten, kämpfte mit den gleichen Drachen, jagte den gleichen Faltern nach, wiederholte stets dieselben Konstellationen und Zustände, und doch war es ein ewig neues Spiel, immer wieder schön, immer wieder gefährlich, immer wieder erregend. Tausendmal bin ich übermütig gewesen, tausendmal todmüde, tausendmal kindisch, tausendmal alt und kühl, und nichts hat lange gedauert, alles kehrte stets wieder und war doch nie das gleiche. Die Einheit, die ich hinter der Vielheit verehre, ist keine langweilige, keine graue, gedankliche, theoretische Einheit. Sie ist ja das Leben selbst, voll Spiel, voll Schmerz, voll Gelächter. Sie ist dargestellt worden im Tanz des Gottes Shiwa, der die Welt in Scherben tanzt, und in vielen anderen Bildern, sie weigert sich keiner Darstellung, keinem Gleichnis. Du kannst jederzeit in sie eintreten, sie gehört dir in jedem Augenblick, wo du keine Zeit, keinen Raum, kein Wissen, kein Nichtwissen kennst, wo du aus der Konvention austrittst, wo du in Liebe und Hingabe allen Göttern, allen Menschen, allen Welten, allen Zeitaltern angehörst. In diesen Augenblicken erlebst du Einheit und Vielfalt zugleich, siehst Buddha und Jesus an dir vorübergehen, sprichst mit Moses, spürst Ceylon-Sonne auf deiner Haut und siehst die Pole im Eis starren. Zehnmal bin ich dort drüben gewesen, in dieser kurzen Zeit seit meiner Rückkehr von Baden.

Ich bin also nicht »gesund« geworden. Es geht mir besser, der Arzt ist zufrieden, aber geheilt bin ich nicht, es kann jederzeit wiederkommen. Außer der tatsächlichen Besserung habe ich auch das aus Baden mitgebracht, daß ich jetzt aufgehört habe, meine Ischias allzu grimmig zu verfolgen. Ich sehe ein, daß sie zu mir gehört, daß sie wohlerworben ist wie das beginnende Grau in meinem Haar und daß es unklug ist, sie einfach ausradieren oder wegzaubern zu wollen. Seien wir verträglich mit ihr, gewinnen wir sie durch Versöhnlichkeit!

Und wenn ich wieder einmal nach Baden komme, werde ich anders in das warme Wasser steigen, andres mit meinen Nachbarn erleben, andre Sorgen und Spiele haben, andres auf meine Papiere schreiben. Ich werde auf neue Arten mich versündigen, auf neuen Wegen wieder zu Gott finden. Und immer werde ich glauben, der Handelnde, der Denkende, der Lebende zu sein, und weiß doch, daß Er es ist.

Wenn ich jetzt auf die paar Kurwochen zurückblicke, so entsteht in mir, wie bei jeder Rückschau, jene angenehme Illusion der Überlegenheit, des Verstehens und Durchschauens, die man in der Jugend bei jeder neuen Lebensstufe so innig genießt. Ich sehe die Leiden meines jüngstvergangenen Ich, die leiblichen Schmerzen und die seelischen Nöte hinter mir liegen, die fatale Situation ist überstanden, und jener Hesse, der vor kurzem in Baden sich so komisch benahm, scheint mir weit unter dem klugen heutigen Hesse zu stehen, der auf ihn zurücksieht. Ich sehe, wie übertrieben dieser Kurgast Hesse auf lächerliche Kleinigkeiten reagiert, erkenne das drollige Spiel seiner Gebundenheiten und Komplexe und vergesse, daß jene Kleinigkeiten mir klein und lächerlich nur darum erscheinen, weil sie nicht mehr aktuell sind.

Aber was ist groß oder klein, wichtig oder unwichtig? Die Psychiater erklären einen Menschen für gemütskrank, der auf kleine Störungen, kleine Reizungen, kleine Beleidigungen seines Selbstgefühls empfindlich und heftig reagiert, während derselbe Mensch vielleicht Leiden und Erschütterungen gefaßt erträgt, welche der Majorität sehr schlimm erscheinen. Und ein Mensch gilt für gesund und normal, dem man lange auf die Zehen treten kann, ohne daß er es merkt, der die elendeste Musik, die kläglichste Architektur, die verdorbenste Luft klaglos und beschwerdelos erträgt, der aber auf den Tisch haut und den Teufel anruft, sobald er beim Kartenspiel ein bißchen verliert. Ich habe in Wirtshäusern schon sehr häufig Menschen von gutem Ruf, die für durchaus normal und ehrenwert gelten, wegen eines verlornen Spiels, namentlich wenn sie einem Mitspieler meinten die Schuld am Verlust aufbürden zu müssen, so fanatisch, so grob, so säuisch fluchen und toben sehen und hören, daß ich sehr das Bedürfnis fühlte, beim nächsten Arzt die Internierung dieser Unglücklichen zu beantragen. Es gibt eben vielerlei Maßstäbe, die man alle gelten lassen kann; aber irgendeinen von ihnen, sei es auch der der Wissenschaft oder der der augenblicklichen öffentlichen

Moral, für heilig zu halten will mir nicht gelingen.

Und der gleiche Mensch, der über die Selbstschilderung des Kurgastes Hesse lachen kann und diesen Kerl ziemlich komisch findet (worin er recht hat), würde sehr erstaunen, wenn er einen einzigen seiner eigenen Gedankengänge, wenn er irgendeine seiner alltäglichen Reaktionen auf die Umwelt genau und im Detail beschrieben und analysiert fände. Ebenso wie unterm Mikroskop etwas sonst Unsichtbares oder Häßliches, ein Flöckchen Dreck, zum wunderbaren Sternhimmel werden kann, ebenso würde unterm Mikroskop einer wahrhaften Psychologie (welche noch nicht existiert) jede kleinste Regung einer Seele, sei sie sonst noch so schlecht oder dumm oder verrückt, zum heiligen, andächtigen Schauspiel werden, weil man nichts in ihr sähe als ein Beispiel, ein gleichnishaftes Abbild des Heiligsten, das wir kennen, des Lebens.

Es wäre anmaßend, wenn ich sagen wollte, alle meine literarischen Versuche seit manchen Jahren seien nichts als ein Versuch, ein tastender Versuch nach jenem fernen Ziele hin, eine dünne schwache Vorahnung jener wahren Psychologie mit dem Weltauge, unter deren Blick nichts mehr klein oder dumm oder häßlich oder böse ist, sondern alles heilig und ehrwürdig. Und doch ist es irgendwie so.

Und wenn ich jetzt, Abschied nehmend von diesen Blättern, das Ganze meiner Badener Epoche mit einem letzten Blick übersehe, so bleibt eine Unzufriedenheit, ein Stachel, eine Trauer zurück. Diese Trauer gilt nicht meinen Dummheiten, meinem Mangel an Geduld, meiner Nervosität, meinen raschen harten Urteilen, kurz all meinen menschlichen Unzulänglichkeiten und Fehlern, von welchen ich weiß, daß sie tief bedingt und notwendig sind. Nein, meine Trauer, mein Leeregefühl und Schmerz gilt diesen Aufzeichnungen, diesen Versuchen, ein winziges Stück Leben möglichst wahr und aufrichtig aufzuzeigen. Ich bin betrübt und beschämt, so muß ich gestehen, nicht über meine Sünden und Laster, sondern lediglich über das Versagen meines sprachlichen Experimentes, über den sehr geringen Ertrag meiner literarischen Anstrengung.

Und zwar ist es ein ganz bestimmter Punkt, in dem meine Enttäuschung wurzelt. Vielleicht glückt es mir, dies durch ein Gleichnis klarzumachen:

Wäre ich Musiker, so könnte ich ohne Schwierigkeit eine zweistimmige Melodie schreiben, eine Melodie, welche aus zwei Linien besteht, aus zwei Ton- und Notenreihen, die einander entsprechen, einander ergänzen, einander bekämpfen, einander bedingen, jedenfalls aber in jedem Augenblick, auf jedem Punkt der Reihe in der innigsten, lebendigsten Wechselwirkung und gegenseitigen Beziehung stehen. Und jeder, der Noten zu lesen versteht, könnte meine Doppelmelodie ablesen, sähe und hörte zu jedem Ton stets den Gegenton, den Bruder, den Feind, den Antipoden. Nun, und eben dies, diese Zweistimmigkeit und ewig schreitende Antithese, diese Doppellinie möchte ich mit meinem Material, mit Worten, zum Ausdruck bringen und arbeite mich wund daran, und es geht nicht. Ich versuche es stets von neuem, und wenn irgend etwas meinem Arbeiten Spannung und Druck verleiht, so ist es einzig dies intensive Bemühen um etwas Unmögliches, dieses wilde Kämpfen um etwas nicht Erreichbares. Ich möchte einen Ausdruck finden für die Zweiheit, ich möchte Kapitel und Sätze schreiben, wo beständig Melodie und Gegenmelodie gleichzeitig sichtbar wären, wo jeder Buntheit die Einheit, jedem Scherz der Ernst beständig zur Seite steht. Denn einzig darin besteht für mich das Leben, im Fluktuieren zwischen zwei Polen, im Hin und Her zwischen den beiden Grundpfeilern der Welt. Beständig möchte ich mit Entzücken auf die selige Buntheit der Welt hinweisen und ebenso beständig daran erinnern, daß dieser Buntheit eine Einheit zugrunde liegt; beständig möchte ich zeigen, daß Schön und Häßlich, Hell und Dunkel, Sünde und Heiligkeit immer nur für einen Moment Gegensätze sind, daß sie immerzu ineinander übergehen. Für mich sind die höchsten Worte der Menschheit jene paar, in denen diese Doppeltheit in magischen Zeichen ausgesprochen ward, jene wenigen geheimnisvollen Sprüche und Gleichnisse, in welchen die großen Weltgegensätze zugleich als Notwendigkeit und als Illusion erkannt werden. Der Chinese Lao Tse hat mehrere solche Sprüche geformt, in denen beide Pole des Lebens für den Blitz eines Augenblicks einander zu berühren scheinen. Noch edler und einfacher, noch herzlicher ist dasselbe Wunder getan in vielen Worten Jesu. Ich weiß nichts so Erschütterndes in der Welt wie dies, daß eine Religion, eine Lehre, eine Seelenschule durch Jahrtausende die Lehre von Gut und Böse, von Recht und Unrecht immer feiner und straffer ausbildet, immer höhere Ansprüche an Gerechtigkeit und Gehorsam stellt, um schließlich auf ihrem Gipfel mit der magischen Erkenntnis zu enden, daß neunundneunzig Gerechte vor Gott weniger sind als ein Sünder im Augenblick der Umkehr!

Aber vielleicht ist es ein großer Irrtum, ja, eine Sünde von mir, wenn ich der Verkündigung dieser höchsten Ahnungen glaube dienen zu müssen. Vielleicht besteht das Unglück unsrer jetzigen Welt gerade darin, daß diese höchste Weisheit auf allen Gassen feilgeboten wird, daß in jeder Staatskirche, neben dem Glauben an Obrigkeit, Geldsack und Nationaleitelkeit, der Glaube an das Wunder Jesu gepredigt wird, daß das Neue Testament, ein Behälter der kostbarsten und der gefährlichsten Weisheiten, in jedem Laden käuflich ist und von Missionaren gar umsonst verteilt wird. Vielleicht sollten solche unerhörte, kühne, ja erschreckende Einsichten und Ahnungen, wie sie in manchen Reden Jesu stehen, sorgfältig verborgen gehalten und mit Schutzwällen umbaut werden. Vielleicht wäre es gut und zu wünschen, daß ein Mensch, um eines jener mächtigen Worte zu erfahren, Jahre opfern und sein Leben wagen müßte, so wie er es für andere hohe Werte im Leben auch tun muß. Wenn dem so ist (und ich glaube an manchen Tagen, daß es so ist), dann tut der letzte Unterhaltungsschriftsteller Besseres und Richtigeres als der, der sich um den Ausdruck für das Ewige bemüht.

Dies ist mein Dilemma und Problem. Es läßt sich viel darüber sagen, lösen aber läßt es sich nicht. Die beide Pole des Lebens zueinander zu biegen, die Zweistimmigkeit der Lebensmelodie niederzuschreiben, wird mir nie gelingen. Dennoch werde ich dem dunklen Befehl in meinem Innern folgen und werde wieder und wieder den Versuch unternehmen müssen. Dies ist die Feder, die mein Ührlein treibt.

Zeittafel

1877 geboren am 2. Juli in Calw/Württemberg
1892 Flucht aus dem evgl.-theol. Seminar in Maulbronn
1899 »Romantische Lieder«, »Hermann Lauscher«
1904 »Peter Camenzind«, Ehe mit Maria Bernoulli
1906 »Unterm Rad«, Mitherausgeber der antiwilhelminischen Zeitschrift »März« (München)
1907 »Diesseits«, Erzählungen
1908 »Nachbarn«, Erzählungen
1910 »Gertrud«
1911 Indienreise
1912 »Umwege«, Erzählungen, Hesse verläßt Deutschland und übersiedelt nach Bern
1913 »Aus Indien«, Aufzeichnungen von einer indischen Reise
1914 »Roßhalde«, bis 1919 im Dienst der »Deutschen Kriegsgefangenenfürsorge, Bern«
Herausgeber der »Deutschen Interniertenzeitung«, der »Bücher für deutsche Kriegsgefangene« und des »Sonntagsboten für deutsche Kriegsgefangene«
1915 »Knulp«
1919 »Demian«, »Märchen«, »Zarathustras Wiederkehr«
Gründung und Herausgabe der Zeitschrift »Vivos voco«, ›Für neues Deutschtum‹. (Leipzig, Bern)
1920 »Klingsors letzter Sommer«, »Wanderung«
1922 »Siddhartha«
1924 Hesse wird Schweizer Staatsbürger
Ehe mit Ruth Wenger
1925 »Kurgast«
1926 »Bilderbuch«
1927 »Die Nürnberger Reise«, »Der Steppenwolf«
1928 »Betrachtungen«
1929 »Eine Bibliothek der Weltliteratur«
1930 »Narziß und Goldmund«
Austritt aus der »Preußischen Akademie der Künste«, Sektion Sprache und Dichtung
1931 Ehe mit Ninon Dolbin geb. Ausländer
1932 »Die Morgenlandfahrt«
1937 »Gedenkblätter«
1942 »Gedichte«
1943 »Das Glasperlenspiel«

1945 »Traumfährte«, Erzählungen und Märchen
1946 Nobelpreis
1951 »Späte Prosa«, »Briefe«
1952 »Gesammelte Dichtungen«, 6 Bde.
1957 »Gesammelte Schriften«, 7 Bde.
1962 9. August: Tod Hermann Hesses in Montagnola
1966 »Prosa aus dem Nachlaß«, »Kindheit und Jugend vor Neunzehnhundert. Hermann Hesse in Briefen und Lebenszeugnissen 1877–1894«
1968 »Hermann Hesse – Thomas Mann«, Briefwechsel
1969 »Hermann Hesse – Peter Suhrkamp«, Briefwechsel
1970 »Politische Betrachtungen«, Hermann Hesse – Werkausgabe in 12 Bänden, dort:
»Eine Literaturgeschichte in Rezensionen und Aufsätzen«
1971 »Hermann Hesse – Sprechplatte«, »Mein Glaube«, eine Dokumentation, »Lektüre für Minuten«
1972 Materialien zu Hermann Hesse »Der Steppenwolf«
1973 »Gesammelte Briefe, Band 1, 1895–1921«, »Die Kunst des Müßiggangs«, Materialien zu Hermann Hesse »Das Glasperlenspiel«, Bd. 1
1974 »Hermann Hesse, Leben und Werk im Bild«, von Volker Michels, »Begegnungen mit Hermann Hesse« von Siegfried Unseld, Materialien zu Hermann Hesse »Das Glasperlenspiel«, Bd. 2
1975 »Lektüre für Minuten«. Neue Folge, »Piktors Verwandlungen«, Materialien zu Hermann Hesses »Siddhartha«, Bd. 1
1976 Materialien zu Hermann Hesses »Siddhartha«, Bd. 2
Ursula Chi, »Die Weisheit Chinas und ›Das Glasperlenspiel‹«
»Über Hermann Hesse«, Bd. 1 (1904–1962)
1977 »Kleine Freuden, Verstreute und kurze Prosa aus dem Nachlaß«
»Über Hermann Hesse«, Bd. 2 (1963–1977)
Sämtliche Erzählungen in 4 Bänden
Bd. 1 »Aus Kinderzeiten« 1900–1905
Bd. 2 »Die Verlobung«, 1906–1908
Bd. 3 »Der Europäer«, 1909–1918
Bd. 4 »Innen und Außen«, 1919–1955
»Josef Knechts Lebensläufe«
»Von Wesen und Herkunft des Glasperlenspiels«
»Die Gedichte«
»Die Welt der Bücher«

»Politik des Gewissens. Die politischen Schriften 1914–1962«

1978 »Kindheit und Jugend vor Neunzehnhundert. Hermann Hesse in Briefen und Lebenszeugnissen 1895 bis 1900«

1979 Hermann Hesse. Sein Leben in Bildern und Texten von Volker Michels

Theodore Ziolkowski, »Der Schriftsteller Hermann Hesse«

»Gesammelte Briefe, Band 2, 1922–1935«

1980 »Gesammelte Briefe, Band 3, 1936–1948«

Hermann Hesse
in den suhrkamp taschenbüchern

Lektüre für Minuten. Gedanken aus seinen Büchern und Briefen. Ausgewählt von Volker Michels. Band 7, 226 S.

Unterm Rad. Erzählung. Band 52, 166 S.

Materialien zu Hermann Hesse, »Der Steppenwolf«. Herausgegeben von Volker Michels. Band 53, 418 S.

Das Glasperlenspiel. Band 79, 614 S.

Materialien zu Hermann Hesse, »Das Glasperlenspiel«, Teil I: Texte von Hermann Hesse. Herausgegeben von Volker Michels. Band 80, 386 S.

Die Kunst des Müßiggangs. Kurzprosa aus dem Nachlaß. Herausgegeben von Volker Michels. Band 100, 374 S.

Materialien zu Hermann Hesse, »Das Glasperlenspiel«, Teil II: Texte über das Glasperlenspiel. Herausgegeben von Volker Michels. Band 108, 376 S.

Klein und Wagner. Erzählung. Band 116, 96 S.

Materialien zu Hermann Hesses »Siddhartha«. Erster Band. Herausgegeben von Volker Michels. Band 129, 350 S.

Peter Camenzind. Erzählung. Band 161, 150 S.

Der Steppenwolf. Band 175, 238 S.

Siddhartha. Eine indische Dichtung. Band 182, 122 S.

Demian. Die Geschichte von Emil Sinclairs Jugend. Band 206, 164 S.

Ausgewählte Briefe. Band 211, 580 S.

Die Nürnberger Reise. Band 227, 82 S.

Lektüre für Minuten. Gedanken aus seinen Büchern und Briefen. Neue Folge. Ausgewählt von Volker Michels. Band 240, 208 S.

Eine Literaturgeschichte in Rezensionen und Aufsätzen. Herausgegeben von Volker Michels. Band 252, 586 S.

Narziß und Goldmund. Erzählung. Band 274, 320 S.

Materialien zu Hermann Hesses »Siddhartha«. Zweiter Band. Herausgegeben von Volker Michels. Band 282, 388 S.

Die Märchen. Band 291, 272 S.

Über Hermann Hesse. Erster Band 1904–1962. Herausgegeben von Volker Michels. Band 331, 474 S.

Über Hermann Hesse. Zweiter Band 1963–1977. Herausgegeben von Volker Michels. Band 332, 524 S.

Aus Kinderzeiten. Gesammelte Erzählungen Band 1. 1900 bis 1905. Band 347, 398 S.

Kleine Freuden. Verstreute und kurze Prosa aus dem Nachlaß. Herausgegeben und mit einem Nachwort von Volker Michels. Band 360, 392 S.

Die Verlobung. Gesammelte Erzählungen Band 2. 1906 bis 1908. Band 368, 382 S.

Briefe an Freunde. Rundbriefe 1946–1962. Zusammengestellt von Volker Michels. Band 380, 262 S.

Die Gedichte. Neu eingerichtet und um Gedichte aus dem Nachlaß erweitert von Volker Michels. 2 Bde. Band 381, insges. 832 S.

Kurgast. Aufzeichnungen von einer Badener Kur. Band 383, 110 S.

Der Europäer. Gesammelte Erzählungen Band 3. 1909 bis 1918. Band 384, 370 S.

Innen und Außen. Gesammelte Erzählungen Band 4. 1919 bis 1955. Band 413, 424 S.

Die Welt der Bücher. Betrachtungen und Aufsätze zur Literatur. Band 415, 384 S.

Hermann Hesses weltweite Wirkung. Herausgegeben von Martin Pfeifer. 2 Bde. Bd. 386 u. 506, 355 S., 285 S.

Hermann Hesse
in der Bibliothek Suhrkamp

Die Morgenlandfahrt. Erzählung. Band 1, 124 S.

Narziß und Goldmund. Erzählung. Band 65, 320 S.

Knulp. Drei Geschichten aus dem Leben Knulps. Band 75, 128 S.

Demian. Die Geschichte von Emil Sinclairs Jugend. Band 95, 214 S.

Der vierte Lebenslauf Josef Knechts. Zwei Fassungen. Band 181, 164 S.

Der Steppenwolf. Roman. Band 226, 240 S.

Siddhartha. Eine indische Dichtung. Band 227, 136 S.

Politische Betrachtungen. Band 244, 168 S.

Mein Glaube. Betrachtungen. Band 300, 152 S.

Kurgast. Mit den ›Aufzeichnungen von einer Badener Kur‹. Band 329, 136 S.

Stufen. Ausgewählte Gedichte. Band 342, 248 S.

Eigensinn. Autobiographische Schriften. Band 353, 256 S.

Glück. Späte Prosa: Betrachtungen. Band 344, 143 S.

Iris. Ausgewählte Märchen. Band 369, 170 S.

Hermann Hesse – Thomas Mann. Briefwechsel; herausgegeben von Anni Carlsson, erweitert von Volker Michels. Mit einem Vorwort von Theodore Ziolkowski. Band 441, 338 S.

Wanderung. Aufzeichnungen mit 14 farbigen Bildern des Verfassers. Band 444, 144 S.

Legenden. Zusammengestellt von Volker Michels. Band 472, 184 S.

Musik. Betrachtungen, Gedichte, Rezensionen, Briefe. Mit einem Essay von Hermann Kasack. Herausgegeben von Volker Michels. Band 483, 280 S.

Josef Knechts Lebensläufe. Band 541, 272 S.

Magie des Buches. Betrachtungen. Band 542, 132 S.

Klingsors letzter Sommer. Erzählung mit farbigen Bildern vom Verfasser. Band 608, 142 S.

Gesammelte Schriften in Einzelausgaben

Beschwörungen; Bilderbuch; Briefe; Das Glasperlenspiel; Der Steppenwolf; Diesseits; Erzählungen; Kleine Welt; Fabulierbuch; Frühe Prosa; Gedenkblätter; Gertrud; Knulp; Krieg und Frieden; Kurgast; die Nürnberger Reise; Märchen; Narziß und Goldmund; Peter Camenzind; Prosa aus dem Nachlaß; Roßhalde; Schriften zur Literatur; Siddhartha; Traumfährte; Unterm Rad.

Briefe

Kindheit und Jugend vor Neunzehnhundert. Hermann Hesse in Briefen und Lebenszeugnissen 1877–1894

Kindheit und Jugend vor Neuzehnhundert. Hermann Hesse in Briefen und Lebenszeugnissen 1895–1900

Hermann Hesse, Gesammelte Briefe, 1895–1921. Unter Mitwirkung von Heiner Hesse

Briefe. 2., erweiterte Ausgabe

Hermann Hesse – Peter Suhrkamp. Briefwechsel 1945 bis 1959

Hermann Hesse – R. J. Humm. Briefwechsel

Über Hermann Hesse

Dank an Hermann Hesse. Reden und Aufsätze

Hermann Hesse – Eine Chronik in Bildern; herausgegeben von Bernhard Zeller

Hugo Ball: Hermann Hesse. Sein Leben und sein Werk

Emmy Ball-Hennings: Briefe an Hermann Hesse

Adrian Hsia: Hermann Hesse in China

Siegfried Unseld: Hermann Hesse, eine Werkgeschichte

Siegfried Unseld: Begegnungen mit Hermann Hesse

Martin Pfeifer (Hrsg.): Hermann Hesses weltweite Wirkung. Internationale Rezeptionsgeschichte. 2 Bde.

Ursula Chi: Die Weisheit Chinas und ›Das Glasperlenspiel‹

Theodore Ziolkowski: Der Schriftsteller Hermann Hesse

Sonderausgaben

Hermann Hesse, Die Erzählungen

Hermann Hesse, Weg nach Innen

Hermann Hesse, Schriften zur Literatur. 2 Bde.

Politik des Gewissens. Die politischen Schriften 1914–1962

Hermann Hesse als Maler

Hermann Hesse. Sein Leben in Bildern und Texten

Hermann Hesse, Leben und Werk im Bild. Von Volker Michels
Hermann Hesse, Kindheit des Zauberers. Ein autobiographisches Märchen. Illustriert und mit einer Nachbemerkung von Peter Weiss
Piktors Verwandlungen. Mit einem Nachwort von Volker Michels
Dank an Goethe. Betrachtungen, Rezensionen, Briefe. Mit einem Essay von Reso Karalaschwili
Hermann Lauscher. Illustriert von Gunter Böhmer
Der verbannte Ehemann oder Anton Schievelbeyn's ohnfreywillige Reise. Handgeschrieben und illustriert von Peter Weiss
Die Stadt. Ein Märchen, ins Bild gebracht von Walter Schmögner
Schmetterlinge. Mit einem Nachwort von Volker Michels
Knulp. Illustriert von Karl Walser
Magie der Farben. Herausgegeben und mit einem Nachwort von Volker Michels

Hermann Hesse
Gesammelte Erzählungen
4 Bände in Kassette, DM 32,–

Hermann Hesses sämtliche Erzählungen sind in vier Taschenbuchbänden erschienen:
Band 1 Aus Kinderzeiten, 1900–1905 (st 347)
Band 2 Die Verlobung, 1906–1908 (st 368)
Band 3 Der Europäer, 1909–1918 (st 384)
Band 4 Innen und Außen, 1919–1955 (st 413)
Alle vier Bände zusammen werden in einer Schmuckkassette vorgelegt.
Nicht unerhörte Begebenheiten, sondern das Unerhörte der alltäglichen Begebenheiten kommt hier zu Wort. Denn so vertraut die Schauplätze anmuten, die Konflikte, die dort ausgetragen und festgehalten werden, wachsen weit über das Lokale hinaus. Der Mikrokosmos des scheinbar Provinziellen und Individuellen verweist vom Detail auf das Ganze. Dabei bedeutet die Lektüre dieser Erzählungen nicht Arbeit, sondern Regeneration.

Hermann Hesse auf Schallplatten

Hermann Hesse-Sprechplatte
»Über das Glück« und Gedichte
Gert Westphal liest:
Aus einem Brief des 15jährigen an seine Eltern
Prosa aus »Klingsors letzter Sommer« und Gedichte
Hermann Hesse liest:
»Über das Alter«, »Zwischen Sommer und Herbst«,
»Über das Wort ›Brot‹«
Gert Westphal liest Hermann Hesse,
»Autorenabend«, »Die Fremdenstadt im Süden«.
Suhrkamp Verlag

Sprechplatten der Deutschen Grammophon Gesellschaft

Aus dem »Tractat vom Steppenwolf«,
gesprochen von Helmut Griem
Die Stadt und satirische Gedichte aus dem Nachlaß,
gesprochen von Gert Westphal
Heliodor Bibliothek Nr. 2571009

Aus dem »Kurzgefaßten Lebenslauf«,
gesprochen von Gert Westphal
Haßbriefe und »Brief an einen Kommunisten«,
gesprochen von Peter Lühr
Heliodor Bibliothek Nr. 2571031

Musikplatten nach Texten von Hermann Hesse

Lieder nach Gedichten von Hermann Hesse,
vertont von Othmar Schoeck und Gottfried von Einem,
gesungen von Dietrich Fischer-Dieskau
Deutsche Grammophon Gesellschaft LP 25308777

Hesse Between Music
Ein aktuelles Mosaik von Hesse-Texten mit moderner
Musik von Peter Hamel u. a.
Rezitation von Gert Westphal,
vorgestellt von Joachim Ernst Berendt
dergo-spectrum SM 1015

»Und alle Zeit ward Gegenwart«
Arthur Rubinstein spielt Lieblingskomponisten
von Hermann Hesse (Beethoven, Schumann, Chopin)
RCA-Langspielplatte RL-42352

st 611 Felix Timmermans
Der Heilige der kleinen Dinge
und andere Erzählungen
Aus dem Flämischen von Friedrich Markus Huebner, Karl Jacobs, Anton Kippenberg, Peter Mertens, Anna Valeton-Hoos
294 Seiten
Die Romangestalt Pallieter (st 400) hat Timmermans in der ganzen Welt berühmt gemacht. Das *Jesuskind in Flandern* nannte die Kritik sein schönstes Buch. Und nicht wegzudenken aus dem Werk des flämischen Dichters sind seine zauberischen, seine liebevollen Geschichten, deren Güte und Gläubigkeit sie uns märchenhaft entrücken.

st 612 Martin Walser
Ein Flugzeug über dem Haus
und andere Geschichten
120 Seiten
»Hier ist Walser schon ganz er selbst, hier erfüllt er die Forderung, die der sehr alte Goethe einst an die jungen Dichter seiner Zeit gerichtet hat: ›Poetischer Gehalt aber ist Gehalt des eigenen Lebens‹.« *Süddeutsche Zeitung*

st 613 Karin Struck
Trennung
Erzählung
150 Seiten
»Karin Struck ist in allem, was sie schreibt, intensiv. Sie fordert auf, fordert heraus. ... Auf der hilflos anmutenden Suche nach einer Utopie ist eigentlich ein jeder bei Karin Struck begriffen. Ihre Vehemenz fordert das, und ihre Personen haben sich dieser Absicht einzufügen. So entsteht bei ihr Spannung bis zum Zerreißen, bis zur Hingabe, Selbtsaufgabe oder Widerstandleisten, bis zum ohnmächtigen Erleiden.« *Karl Krolow*

st 614 Walker Percy
Liebe in Ruinen
Die Abenteuer eines schlechten Katholiken kurz vor dem Ende der Welt
Aus dem Amerikanischen von Hanna Muschg
442 Seiten
Der Held, Thomas More, Arzt und Alkoholiker, der sich als schlechten Katholiken bezeichnet, lebt mit drei schönen Frauen in der Vorstadt Paradise, wo er das Ende der Welt erwartet. Als später Descartes erfand er den Lapsometer, mit dessen Hilfe er den jeweiligen Grad der Entfremdung des Menschen von sich selbst feststellt. Nur eines gelang ihm bisher nicht: das Instrument mit seinen diagnostischen Fähigkeiten für Heilzwecke zu vervollkommnen.

st 615 Mircea Eliade
Bei den Zigeunerinnen
Phantastische Geschichten
Aus dem Rumänischen von Edith Silbermann
342 Seiten
»Was bei Eliade so anzieht, so entzückt, ist eine Heiterkeit, die hoffnungsvolle Ruhe, die jede außergewöhnliche, eigentlich Furcht erregende Begebenheit nicht ins Gräßliche wendet, sondern ins Helle, recht eigentlich Beruhigte.« *Süddeutsche Zeitung*

st 616 Kasimir Edschmid
Geord Büchner. Eine deutsche Revolution
544 Seiten
Roman
». . . ein Meisterwerk der deutschen Literatur im zwanzigsten Jahrhundert, einer der großen historischen Romane Deutschlands, . . . der die politische Tragik, die ewig gescheiterten Kämpfe um die Wiederherstellung der Freiheit und der Menschenwürde des armen, ewig geschlagenen deutschen Volkes beschreibt, das durch die Jahrhunderte so töricht der tumbe Michel war, seine dümmsten Tyrannen auf den Thron zu heben und seine klügsten Volksfreunde in den Staub zu treten oder ins Exil zu schicken.« *Hermann Kesten*

st 618 Helm Stierlin
Eltern und Kinder
Das Drama der Trennung und Versöhnung im Jugendalter
Aus dem Englischen von Ellen Katharina Reinke und Wolfgang Köberer
272 Seiten
Auch bei anscheinend radikalen Trennungen heranwachsender Kinder von ihren Eltern bleiben unsichtbare Bindungen bis ans Lebensende weiterbestehen. Bindungen, in die u. a. Gefühle der Dankbarkeit, Rache, Scham und Schuld, der Verpflichtung und Beauftragung sowie ein Verlangen nach Wiedergutmachung und nach vorenthaltener Gerechtigkeit einfließen können.

st 619 Antike Geisteswelt
Eine Sammlung klassischer Texte
Auswahl und Einführungen von Walter Rüegg
694 Seiten
»Die vorliegende Auswahl bietet dem der Antike Vertrauten wenig bekannte Texte und neue Gesichtspunkte, dem Leser, der erst beginnt, die Welt der Antike in seine Bildung einzubeziehen, eine Grundlage, um mit der Antike vertraut zu werden: sie wird ihn einführen in die gewaltigen Katakomben unserer geschichtlichen Existenz.«
helvetia archaeologica

st 628 Georg W. Alsheimer
Eine Reise nach Vietnam
224 Seiten
Alsheimer kehrt in seine »Wahlheimat« zurück. Die Narben des amerikanischen Alptraums sind noch allgegenwärtig. So gerät die Konfrontation des Damals mit dem Heute zunächst zu einem Verfolgungswahn. Erst als er durch das Vertrauen seiner Freunde das Damals mit dem Heute verknüpfen kann, verwandeln sich in dieser Krise seines politischen Credos die gläubigen Visionen in einen gemäßigten, kritischen Optimismus. Den Prozeß, der zu dieser Einsicht führte, protokolliert Alsheimer in diesem Reisetagebuch. Alsheimers *Vietnamesische Lehrjahre* liegen als st 73 vor.

st 629 Wie der Teufel den Professor holte
Science-fiction-Erzählungen aus POLARIS 1
Phantastische Bibliothek Band 37
132 Seiten
Der Band enthält Erzählungen von Stanisław Lem, Gérard Klein, Kurd Laßwitz, Fitz-James O'Brien, Vladimir Colin.

st 630 Das Mädchen am Abhang
Science-fiction-Erzählungen aus POLARIS 2
Phantastische Bibliothek Band 38
178 Seiten
Der Band enthält Erzählungen von Wadim Schefner, Sewer Gansowski, Arkadi und Boris Strugatzki, Ilja Warschawski.

st 631 Der Weltraumfriseur
Science-fiction-Erzählungen aus POLARIS 3
Phantastische Bibliothek Band 39
144 Seiten
Der Band enthält Erzählungen von Josef Nesvadba, Gerd Ulrich Weise, Sven Christer Swahn, Vladimir Colin, Frigyes Karinthy.

st 632 Die Büßerinnen aus dem Gnadenkloster
Phantastische Erzählungen aus PHAÏCON 2
Herausgegeben und mit einem Vorwort von
Rein A. Zondergeld
Phantastische Bibliothek Band 40
122 Seiten
Der Band enthält Erzählungen von Joseph Sheridan Le Fanu, Erckmann-Chatrian, Jean-Louis Bouquet, Julio Cortázar, Manfred Wirth, Jörg Krichbaum.

st 637 Gerlind Reinshagen
Das Frühlingsfest
Elsas Nachtbuch. Annäherungen. Ein Stück
170 Seiten
Nach dem szenischen Panorama des Nazi-Deutschlands im Stück *Sonntagskinder* richtet die Autorin hier den Blick auf Neuaufbau und Restauration.

st 638 Birgit Heiderich
Mit geschlossenen Augen
Tagebuch
136 Seiten

Am Anfang die Trennung von einem Mann, am Ende die Übersiedlung aus dem ungebunden sich entfaltenden in ein geregeltes Arbeitsleben. Das Tagebuch erzählt die Geschichte zahlreicher Beziehungen zu Männern und Frauen. In dichtem Zusammenhang werden Erlebnisse, Geschichten, Beobachtungen notiert. Birgit Heiderichs Tagebuch ist reich an Apercus und an Reflexionen über Liebe, Sehnsucht, Trauer, Verzweiflung, über Frausein, Weiblichkeit, aber auch über gesellschaftliche Differenzen, es enthält Beschreibungen und Gedichte.

st 639 Herbert Gall
Deleatur
Notizen aus einem Betrieb
216 Seiten
Eine Druckerei gerät durch Modernisierung und Rationalisierung in eine Krise, der Besitzer versucht, durch Entlassungen und Verstärkung des Arbeitsdrucks ihrer Herr zu werden. Der Korrektor Herbert Gall, als empfindlicher Intellektueller in industrielle Arbeitsverhältnisse geraten, setzt sich durch das rückhaltlose, nämlich auch ihn selbst nicht schonende Aufschreiben gegen Leiden und Abstumpfung zur Wehr. »Der hier beschriebenen Arbeitsform . . . sei zum Schluß ein lateinisches Wörtchen gewidmet, ein Korrekturzeichen, mit dem Falsches markiert wird, das aus einem Text entfernt werden soll: *Deleatur* – sie möge zerstört werden.«

st 683 Marieluise Fleißer
Der Tiefseefisch
Text. Fragmente. Materialien
Herausgegeben von Wend Kässens und Michael Töteberg
188 Seiten
Der Tiefseefisch gibt ein satirisches Portrait von Bertolt Brecht als literarischem Bandenführer; zugleich ist das Stück ein Ehedrama: Fleißers Verbindung mit dem konservativen Publizisten Hellmut Draws-Tychsen. Dieser Band veröffentlicht erstmals die erhalten gebliebene erste Fassung des Stücks sowie Fragmente und Arbeitsnotizen. In einem Nachwort erläutern die Herausgeber den zeitgenössischen literarischen Kontext und geben Interpretationsansätze für die heutige Aktualität des Dramas.

Alphabetisches Gesamtverzeichnis der suhrkamp taschenbücher